Y a-t-il un joueur dans votre entourage ?

Révision: Sylvie Massariol
Correction: Anne-Marie Théorêt
Infographie: Luisa da Silva

**Catalogage avant publication
de Bibliothèque et Archives Canada**

Boutin, Claude

Y a-t-il un joueur dans votre entourage?

1. Jeux de hasard – Comportement compulsif -
Traitement.   2. Joueurs compulsifs – Psychologie.
3. Jeux de hasard – Comportement compulsif – Aspect
social.   I. Ladouceur, Robert.   II. Titre.

RC569.5.G35B68 2006   616.85'22706   C2005-942405-2

DISTRIBUTEURS EXCLUSIFS:

• Pour le Canada et les États-Unis:
MESSAGERIES ADP*
955, rue Amherst
Montréal, Québec H2L 3K4
Tél.: (514) 523-1182
Télécopieur: (450) 674-6237
* Filiale de Sogides ltée

• Pour la France et les autres pays:
INTERFORUM
Immeuble Paryseine, 3, Allée de la Seine
94854 Ivry Cedex
Tél.: 01 49 59 11 89/91
Télécopieur: 01 49 59 11 33
Commandes:Tél.: 02 38 32 71 00
Télécopieur: 02 38 32 71 28

• Pour la Suisse:
INTERFORUM SUISSE
Case postale 69 - 1701 Fribourg - Suisse
Tél.: (41-26) 460-80-60
Télécopieur: (41-26) 460-80-68
Internet: www.havas.ch
Email: office@havas.ch
DISTRIBUTION: OLF SA
Z.I. 3, Corminbœuf
Case postale 1061
CH-1701 FRIBOURG
Commandes:Tél.: (41-26) 467-53-33
Télécopieur: (41-26) 467-54-66
Email: commande@ofl.ch

• Pour la Belgique et le Luxembourg:
INTERFORUM BENELUX
Boulevard de l'Europe 117
B-1301 Wavre
Tél.: (010) 42-03-20
Télécopieur: (010) 41-20-24
http://www.vups.be
Email: info@vups.be

Pour en savoir davantage sur nos publications,
visitez notre site: **www.edhomme.com**
Autres sites à visiter: www.edjour.com
• www.edtypo.com • www.edvlb.com
• www.edhexagone.com • www.edutilis.com

Gouvernement du Québec – Programme de crédit
d'impôt pour l'édition de livres – Gestion SODEC –
www.sodec.gouv.qc.ca

L'Éditeur bénéficie du soutien de la Société de
développement des entreprises culturelles du Québec
pour son programme d'édition.

Le Conseil des Arts du Canada
The Canada Council for the Arts

Nous remercions le Conseil des Arts du Canada de
l'aide accordée à notre programme de publication.

Nous reconnaissons l'aide financière du gouvernement
du Canada par l'entremise du Programme d'aide au
développement de l'industrie de l'édition (PADIÉ)
pour nos activités d'édition.

Dépôt légal: 1ᵉʳ trimestre 2006
Bibliothèque nationale du Québec

ISBN 2-7619-2205-0

CLAUDE BOUTIN · ROBERT LADOUCEUR

Y a-t-il un joueur dans votre entourage ?

Tout ce que les proches doivent savoir

LES ÉDITIONS DE L'HOMME

À Lucie et Ghislain.
Et à tous nos proches,
famille, amis et collègues de travail.

Remerciements

Ce livre n'aurait pu voir le jour sans l'appui et l'encouragement indéfectibles de nos proches. Nous les remercions du fond du cœur. Nous tenons également à remercier Me Isabelle E. Geoffroy, avocate. Sa générosité et la pertinence de ses recommandations ont contribué au caractère concret de ce livre. La Maison Jean-Lapointe, quant à elle, nous a généreusement permis de reproduire le modèle de budget qu'elle utilise en thérapie. Nous la remercions très sincèrement.

Par ailleurs, nous ne pouvons tenir secret l'apport considérable des intervenants de la ligne Jeu: aide et référence, en ce qui a trait à l'aide à apporter aux proches. Nous les remercions de prendre soin des joueurs comme de leur entourage.

En terminant, comment remercier à sa juste valeur les membres de notre équipe de travail? Chacun à sa façon a contribué à faire de ce livre un outil vulgarisé et aidant. Simplement, merci!

Introduction

Je vis auprès d'un joueur excessif. Que faire, j'ai tout essayé ?

Cette question, bien des proches de joueurs en perte de contrôle l'ont posée. Après avoir «tout essayé», ils ne peuvent que constater l'échec des solutions qu'ils ont mises de l'avant pour tenter de maîtriser les habitudes de jeu de l'autre. Ils se sentent impuissants, voire épuisés, après avoir traversé des phases de doute, puis de stress intense. Mais il est possible d'échapper à ce scénario et d'aider le joueur efficacement sans sombrer dans l'épuisement et la dépression. Oui, il y a de l'espoir!

Pour reprendre le contrôle de leur vie et retrouver leur paix intérieure, les proches doivent d'abord sortir de l'isolement dans lequel ils se sont terrés et chercher avec confiance du soutien. Cette démarche les aidera à relever leur principal défi: assurer leur bien-être tout en mettant sur pied une stratégie de résolution des problèmes qui fonctionne vraiment. Mais pour atteindre ce but, chacun d'eux – qu'il soit le parent, le conjoint, l'enfant, la sœur, l'ami ou le collègue de travail du joueur – doit avoir une bonne connaissance de sa propre dynamique et comprendre la psychologie du joueur ainsi que les dessous de sa double vie.

Afin d'accompagner le proche dans ce cheminement, nous l'amènerons, dans la première partie de ce livre, à reconnaître les phases de doute, de stress et d'épuisement qu'il risque de traverser. Le témoignage d'une conjointe d'un joueur en perte de contrôle l'aidera à cerner exactement dans quelle phase il se situe. Naturellement, plus le proche se connaît, plus il a de chances d'intervenir avec succès auprès d'une autre personne, à plus forte raison si cette dernière a perdu le contrôle de ses habitudes de jeu. Voilà pourquoi nous lui suggérons avant tout de découvrir sa propre dynamique.

Dans la deuxième partie, nous ferons le point sur la psychologie du joueur en perte de contrôle. Nous nous attarderons particulièrement aux idées erronées qui le font basculer dans un univers émotionnel de jeu excessif. En levant le voile sur ce qui alimente les obsessions du joueur, le proche saisira mieux la réalité dans laquelle il se trouve et nourrira des attentes plus réalistes à son égard. Surtout, il pourra faire des choix plus appropriés. Désire-t-il s'éloigner du joueur? Préfère-t-il l'aider à diminuer sa consommation des jeux ou à cesser complètement de jouer? Veut-il le motiver à entreprendre un traitement ou espère-t-il simplement une diminution des conflits? Peu importe l'option qu'il choisit, le proche tirera profit de sa connaissance des illusions du joueur.

En troisième partie, nous proposons diverses pistes de solutions afin de permettre au proche d'assurer sa sécurité, de composer avec ses émotions, de fixer ses limites et de communiquer de façon affirmative avec le joueur. Nous voulons motiver le proche à prendre les décisions qui assureront son autonomie. Nous voulons également l'encourager à limiter le champ de sa responsabilité tout en augmentant l'efficacité de ses actions auprès du joueur. Et si, malgré cela, le joueur ne change pas, car la décision de jouer ou de ne pas jouer lui reviendra toujours, le proche aura acquis des stratégies utiles à résoudre ses propres difficultés, à répondre à ses besoins véritables.

Chose certaine, le proche d'un joueur en perte de contrôle est en droit d'espérer autre chose que l'incompréhension, la culpabilité, la colère, la honte et l'épuisement. En se changeant lui-même, il constatera que c'est toute la vie qui change. Il suffit parfois d'un premier pas, le plus petit…

1
Connaître la dynamique d'un proche

Ma colère contre toi ne vient pas de tes actions,
je te pardonne tout puisque je t'aime, mais de ta fausseté,
de ta fausseté absurde qui te fait persévérer à nier des choses que je sais.
MARCEL PROUST

Elle s'installe insidieusement et laisse parfois peu de traces… Sournoise, la dépendance au jeu se reconnaît difficilement à ses débuts. Hélas! lorsqu'elle se dévoile, ce sont les proches du joueur qui encaissent le coup avec dureté. Et aussi longtemps que le joueur cherchera à «se refaire», c'est-à-dire à récupérer ses pertes d'argent en retournant jouer, son entourage éprouvera de l'impuissance à contrôler ses excès.

Submergé de culpabilité, de honte et surtout de colère ou même de rage, le proche du joueur en perte de contrôle a peu d'occasions d'apaisement durable; il souffre de l'insaisissable *double vie* du joueur qu'il côtoie. Et comme il ne comprend pas cette double vie, il peut difficilement mettre en place une stratégie de résolution de problèmes. Toutefois, à mesure que les ressources financières se dégradent, il sent de plus en plus l'urgence de la situation et essaie tant bien que mal d'assurer sa sécurité ainsi que celle des siens. Muni d'un énorme courage, il se défend du mieux qu'il peut contre les menaces qui pleuvent sur lui, son entourage et le joueur. Et ces menaces n'affectent pas que ses finances: puisqu'il est engagé sur le plan émotif envers le joueur, elles affligent aussi son bien-être psychologique. Or, les responsabilités qu'il prend et les sacrifices qu'il fait n'apportent pas la solution désirée; à son grand dam, ils entraînent plutôt d'autres responsabilités, d'autres sacrifices.

Peu à peu, le proche se met à douter de la valeur de ses actions auprès du joueur en perte de contrôle. Il peut même remettre en question l'amour qu'il lui porte et se demander s'il ne vaudrait pas mieux le haïr et couper les ponts. Avec le temps, le doute finit par s'emparer de lui: il embrouille ses pensées, paralyse ses actions. Le proche ne sait plus de quelle façon se protéger ni par quels moyens soutenir le joueur. Il a épuisé les solutions qui s'offraient à lui. Sa vie est devenue un combat contre l'imprévisible, l'incontrôlable, l'absurde. Et c'est ainsi que, graduellement, la détresse l'envahit: le proche vient d'atteindre la phase d'épuisement.

Heureusement, il peut en être autrement. Il est possible en effet pour un proche d'affronter les conséquences négatives du jeu excessif de façon à éviter l'ultime phase d'épuisement, à échapper à ce cycle progressif. Cependant, pour briser le cycle et pour trouver de nouvelles solutions, le proche doit reconnaître la phase qu'il traverse. Est-il à la phase de doute et de tolérance? S'est-il embourbé dans une période où la crise fait loi, celle qui s'apparente si bien au stress? Ou est-il déjà rendu au bout du cycle marqué par l'impuissance, la rage et l'épuisement?

En détaillant la dynamique du proche d'un joueur en perte de contrôle, nous voulons l'aider à se connaître et à cerner l'étape dans laquelle il se trouve. Certes, le jeu excessif d'un joueur n'a pas le même impact sur sa conjointe que sur sa mère; de même, celui d'un adolescent affectera différemment les membres de son entourage. Il n'est donc pas possible de décrire les particularités de chacun. Nous invitons plutôt le proche, quel qu'il soit, à suivre le parcours de la conjointe d'un joueur en cernant en quoi sa dynamique ressemble à la sienne. Cela lui permettra de déceler s'il est dans une phase de doute, de stress ou d'épuisement. Ce repère constituera pour le proche une amorce de solution, un pas vers les choix avertis. Voyons maintenant, d'une façon détaillée, les trois périodes souvent vécues par l'entourage d'un joueur excessif.

LES TROIS PHASES* : DOUTE, STRESS, ÉPUISEMENT

Les phases de doute, de stress et d'épuisement décrites dans les pages qui suivent mettent en lumière ce qui risque de se produire chez un proche qui n'a pas établi de stratégie de résolution de problèmes effi-

---

* Ces phases sont une adaptation de celles proposées et discutées par Custer et Milt.

cace. Il ne s'agit pas là d'un déroulement inévitable. Au contraire, la dernière section de ce livre, qui décrit des moyens concrets, invite le proche à se libérer de certaines attitudes qui le maintiennent prisonnier d'une phase en particulier. En développant certaines habiletés, il pourra briser le cycle qui mène à l'épuisement. Le retour à l'équilibre est possible pour tout proche d'un joueur en perte de contrôle.

Pour l'instant, voici le parcours, illustré par le diagramme ci-dessous, que traverse habituellement l'entourage du joueur excessif.

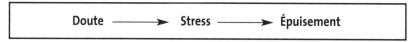

Doute ⟶ Stress ⟶ Épuisement

LES TROIS PHASES

LA PHASE DE DOUTE

Au début, le proche remarque des changements dans les comportements de l'autre et s'en inquiète. Le joueur arrive en retard, s'isole et réagit quelquefois de manière agressive. Il est de plus en plus tourmenté. Comme ces comportements ne sont pas exclusifs à une perte de contrôle au jeu, le proche les attribue souvent à d'autres causes, ce qui brouille les cartes et entretient chez lui un doute. Avec le temps toutefois, les signes d'excès au jeu se font plus évidents. Lorsque les soupçons se confirment, c'est le choc inévitable : le proche a réalisé avec certitude que le joueur est en perte de contrôle.

À ce stade, le jeu excessif est déjà bien ancré et les conséquences sont lourdes. Pourtant, cela n'empêche pas le proche d'espérer que le comportement problématique se résorbera. S'il sait désormais que le problème existe, il doute toutefois de la gravité de la situation et en minimise même la portée à l'occasion. De fait, l'entourage d'un joueur en perte de contrôle a souvent peur d'affronter le problème du jeu excessif. Il aimerait tant croire le joueur lorsqu'il promet qu'il ne jouera plus ! Plus les symptômes de jeu excessif s'aggraveront, plus le proche cheminera dans la phase de doute pour se diriger vers la phase suivante, celle du stress.

L'expérience de Lily, conjointe d'un joueur en perte de contrôle, illustre bien cette première phase du processus.

LILY

Femme très active et indépendante, Lily est propriétaire d'une maison pour personnes âgées en perte d'autonomie. C'est une femme très organisée, intelligente et affirmative. À vrai dire, sa vie est réglée comme une horloge. Entre son travail, sa famille et sa passion pour le dessin, elle n'a pas une minute à elle. Ses deux enfants, à peine plus hauts que trois pommes, lui procurent une satisfaction sans limites. Nicolin et Odile évoluent dans un milieu aisé où ils ne manquent pas de stimulation. Leur père, Simon, possède une firme de publicité; c'est un excellent communicateur. Bien qu'il soit très occupé, il leur voue une grande part de son temps, et cela n'est pas sans combler Lily.

Aux yeux des autres, la vie du couple s'apparente à un rêve, voire à un idéal amoureux. Pour preuve, Claire, la meilleure amie de Lily, leur chantonne à la blague : «Que c'est beau, c'est beau la vie!» Pour l'instant, c'est ce que croit et ressent Lily. Mais, à bien des égards, il y a péril en la demeure. Depuis un certain temps déjà, Simon s'absente et entre tard à la maison. Il s'isole souvent du reste de la famille sans donner d'explication. Songeur, préoccupé, tendu et absorbé dans ses pensées, il n'est plus le même. Autour de lui, on ne le reconnaît plus. Jamais, en neuf ans de mariage, Simon n'a été aussi distant de Lily et de ses enfants. Qu'a-t-il donc? Lui, jadis si volubile, préfère se taire.

Devant ce mur de silence, Lily s'imagine toutes sortes de scénarios : fatigue, stress au travail, déprime, éloignement amoureux et même infidélité conjugale figurent parmi les explications qu'elle retient. Ses questions sans réponses la hantent et l'épuisent à la fois. Certes, elle sait que Simon mise vingt dollars de temps à autre dans les jeux de hasard et d'argent, mais jamais il ne lui viendrait à l'esprit que cela puisse être la cause d'un tel mutisme.

Du reste, qui se préoccupe de cela ? Et c'est ainsi que, au fil du temps, les allées et venues de Simon se font plus mystérieuses, voire inexpliquées.

Puisque Lily n'obtient pas de réponses à ses interrogations, elle se met à scruter tout ce que dit ou fait Simon. Son sens de l'observation s'aiguise, plus rien ne lui échappe. Dans sa tête, elle tourne et retourne tout indice, si minime soit-il, et l'interprète de mille et une façons. Les questionnements et les doutes qui l'assaillent ne cessent de s'intensifier. Plus elle tente de résoudre les énigmes posées par Simon, plus elle s'inquiète et s'enfonce dans l'inconnu. Le doute s'enracine tel un locataire indésirable. Même à ce point, jamais elle ne songerait aux jeux de hasard et d'argent pour expliquer les absences, les retards et, surtout, l'éloignement émotif de son conjoint.

Croyant parfois qu'elle exagère, Lily se défend bien de parler de ses préoccupations avec quiconque. Elle garde son secret. Son réflexe est de douter d'elle-même, de penser que ce qu'elle voit ou ressent est faux ou incorrect. Selon elle, soupçonner son conjoint équivaut à manquer de confiance et d'amour. «Simon ne mérite pas que je doute de lui ainsi. Je suis injuste», pense alors Lily. Lorsque les soupçons effleurent son esprit, elle tente de les chasser rapidement : «Je m'en fais pour rien, Simon est un homme solide et intelligent. S'il avait un problème, il m'en parlerait. Peut-être suis-je plus fatiguée que je ne le crois. Cesse de t'inquiéter, tout cela est temporaire. Tu t'en fais inutilement.» Mais aucune pensée, si positive soit-elle, ne permet à Lily de mettre fin complètement à ses incertitudes. Elle doit découvrir ce qui ne tourne pas rond.

Comme Lily ne veut pas que Simon dépérisse davantage ni que sa relation de couple et sa vie familiale se dégradent, elle ose franchir les zones d'intimité de son conjoint. En premier lieu, elle communique avec son collègue de travail, qui se fait rassurant. Il lui confirme que tout va bien et que Simon ne présente pas de difficultés apparentes. Mais, au fil de la conversation, il mentionne aussi que Simon consacre moins de temps au bureau, particulièrement depuis qu'il s'est inscrit à un cours de gestion administrative. Cette confidence n'a rien pour rassurer Lily, qui ignorait jusqu'à l'existence de ce cours!

«S'il a une maîtresse, je dois en avoir le cœur net!» se dit-elle alors, plus décidée que jamais. Elle entreprend, contre ses principes, d'épier le relevé de compte du téléphone cellulaire de son conjoint. Peut-être y trouvera-t-elle un numéro souvent composé. Peine perdue, Simon n'utilise à peu près jamais son portable. Tout ce qui retient l'attention de Lily, c'est la facture restée impayée. Mais cette découverte ne la trouble pas longtemps; elle sait Simon si lunatique! Lily cherche donc ailleurs des réponses à ses doutes: elle fouille les tiroirs des commodes, les poches des pantalons, des vestons et des manteaux de Simon.

Dans la corbeille à papier de la chambre, Lily découvre un nombre surprenant de billets de loterie, billets que Simon a pris grand soin de dissimuler dans un sac. «Pourquoi cherche-t-il à les cacher? Joue-t-il à ce point?» se demande-t-elle. Certaines situations reviennent alors à son esprit, notamment les appels des *nouveaux* amis de Simon, qui prennent maintenant une tout autre signification. Le compte de téléphone impayé revient la hanter. Elle se souvient même d'avoir vu Simon, tout fier d'un gain fait au casino, se pavaner devant elle. Elle le revoit, tout sourire, lancer plusieurs billets de vingt dollars sur la table de cuisine. Incertaine et un peu honteuse, Lily ramasse les billets de loterie dans l'éventualité d'en parler à Simon. Ils seront sa pièce à conviction! Peut-être se fait-elle trop d'idées, mais elle se dit que rien ne vaut une communication franche.

Lorsque Lily aborde le sujet des jeux de hasard et d'argent, Simon se fait rassurant. Il affirme que son stress est causé par une difficulté au travail que son collègue ignore encore. Il lui dit aussi qu'il ne joue presque pas ; d'ailleurs, lorsqu'il joue, c'est uniquement dans le but de s'amuser. Il lui confirme que les billets trouvés ne sont qu'une espièglerie commise par ses employés.

Simon n'a aucune difficulté à sécuriser Lily concernant ses habitudes de jeu. Mais, au passage, il l'accuse de trop s'en faire et de chercher à le contrôler. Après quoi il déverse quelques-unes de ses frustrations sur elle. « De quel droit m'accuses-tu ainsi ? Ne suis-je donc pas digne de ta confiance ? » Devant une telle attaque émotive, Lily ne se risque pas à lui demander pourquoi il tient secret un cours en gestion administrative. Elle n'a décidément plus le cœur aux questions. Elle se sent maladroite.

Et c'est ainsi que, en dépit des indices de jeu excessif, Lily donne une chance au coureur. À juste titre, elle considère comme normal que Simon s'amuse un peu et met donc de côté l'hypothèse du problème de jeu. Cela ne diminue toutefois pas son inquiétude, notamment en ce qui concerne les sautes d'humeur et les changements d'attitude de son conjoint. Pour se rassurer, elle décide d'en parler avec sa copine Claire.

Lily. – Dis-moi, Claire, suis-je en train de me raconter des histoires ? Simon me cache des choses. Lui, si généreux, agit désormais en radin. Il se comporte comme si tout achat était exagéré ou superflu. Cette semaine, il est allé jusqu'à critiquer le coût de l'épicerie ! Il était agressif envers moi et il ne voulait même pas me parler. Pourquoi s'intéresse-t-il soudainement aux dépenses courantes et banales de la maison ?

Claire. – Mystère. Mystère. Si j'étais à ta place, je clarifierais ce qui se passe au sujet de l'argent. Son attitude est si différente qu'il semble y avoir anguille sous roche.

Fais-toi confiance, tes doutes sont fondés. Tire cela au clair par tous les moyens.

Lily. – Je sais bien que je devrais tirer cela au clair. Mais comment? Il ne veut pas parler!

Des facteurs déterminants

Le joueur en perte de contrôle joue à l'insu de son entourage et il perd de l'argent à une vitesse affolante. Par sa prise de risque élevée, il met en péril sa sécurité émotionnelle et financière de même que celle de sa famille. Comme il n'en est pas fier, il tient cela secret et n'hésite pas à mentir pour ce faire. Il camoufle si bien son jeu qu'il parvient à maintenir son entourage dans le noir… du moins, pour un certain temps. De son côté, le proche du joueur oscille entre les soupçons et la tolérance. Il peut rester ainsi entre deux chaises pendant une période plus ou moins longue, selon différents facteurs.

Plusieurs facteurs permettent en effet au joueur en perte de contrôle de poursuivre sur sa lancée et de tenir secrètes ses habitudes de jeu.

Premier facteur : les bons sentiments

Comme la confiance et l'amour forment la base solide d'une relation entre deux personnes, il est normal qu'un proche excuse les absences nouvelles, les retards inexpliqués, le silence récent ou l'agressivité naissante de l'autre. S'il fallait douter de l'autre chaque fois qu'il manifeste un nouveau comportement, aucune relation ne tiendrait! Aussi, lorsque le joueur se fait rassurant, le proche veut tout naturellement le croire. Quoi de plus approprié, en effet, que de faire confiance à une personne qu'on aime! Par malheur, certaines qualités de cœur, notamment la confiance et l'amour, libèrent parfois la voie au joueur, qui s'enfonce alors dans ses mensonges et ses secrets. Les bons sentiments du proche prolongent la phase de doute.

Deuxième facteur : la dédramatisation

La tendance à dédramatiser rapidement les situations nouvelles peut amener le proche à laisser passer certains signes de jeu excessif. Évidemment, peu de gens crient au loup à la moindre épreuve, au moindre doute, au moindre signe que quelque chose ne tourne pas rond. Se dire que les choses vont s'arranger et rentrer dans l'ordre est normal, voire souhaitable. En modérant ainsi ses tourments, le proche peut conserver son équilibre psychologique et diminuer l'anxiété et le stress qu'il ressent. Or, si, de façon générale, il est bon de dédramatiser les situations difficiles de la vie, dans les débuts d'un problème de jeu, cette attitude allonge la phase de doute.

Troisième facteur : la culpabilité

Comment le proche peut-il en arriver à se sentir coupable alors que c'est le joueur qui commet les excès ? Dans la plupart des cas, le proche a tendance à croire qu'il fait partie du problème qu'il vit. Devant cet être qui change ou souffre, il tente de comprendre et se sent responsable. Il se répète qu'il doit sûrement « y être pour quelque chose » ou qu'il devrait « être en mesure de l'aider ». « S'il se tait, s'il est en colère, c'est peut-être de ma faute », croit-il. En pensant ainsi, le proche renverse la vapeur : il ne se méfie plus de l'autre, mais de lui-même. Il perd de vue que chacun est responsable de ses propres comportements et de ses propres émotions.

Dès qu'une personne prend sur ses épaules la responsabilité des comportements d'autrui, elle ressent de la culpabilité, une culpabilité non justifiée. Cette réaction est normale, mais elle détourne le proche du vrai problème et allonge d'autant la phase de doute. Plus encore, la culpabilité du proche sert souvent d'ailes aux excuses du joueur.

Durant la première phase, cette culpabilité peut prendre plusieurs formes. Par exemple, le proche peut s'en vouloir de ressentir de la colère envers l'autre, habituellement « si bon et généreux ». « Il a droit, lui aussi, à ses moments difficiles », se dit-il pour diminuer ses émotions désagréables. Il se sent injuste de ressentir de telles émotions. Il s'en veut. Il cherche à comprendre, mais, sans information suffisante, il n'arrive pas à justifier ce qu'il ressent. Et plus il pose de questions au joueur pour valider son ressenti, plus ce dernier se referme. Conséquence : le proche en vient à banaliser ses propres émotions. Il doute. Il tolère. Surtout, il se sent de plus en plus coupable à mesure qu'il écoute les propos du joueur, qu'il accepte les blâmes qui lui sont adressés.

En réalité, le joueur ne fait pas le constat qu'il a un problème de jeu au même moment que son entourage. Il peut même nier longtemps son problème en accusant injustement le proche. Or, ses accusations créent une diversion : comme ce dernier est envahi par un sentiment de culpabilité, il se détourne, pour un certain temps du moins, de l'idée que le joueur a un sérieux problème de jeu.

Par ailleurs, la nature du lien affectif qui unit le proche et le joueur influe sur l'intensité de la culpabilité. Par exemple, la mère pourra ressentir une grande culpabilité devant le jeu excessif de son fils, alors que le frère ou la sœur feront beaucoup plus facilement preuve de détachement. Bien des mères ont tendance à se sentir coupables des revers de leur enfant ; elles recherchent dans leurs erreurs passées et leurs manquements la cause de ses difficultés et nourrissent ainsi leur culpabilité. Quant à la conjointe, sa culpabilité la portera parfois à croire, en bout de ligne, que c'est son manque d'amour pour le joueur qui incite ce dernier à jouer de façon excessive ; comme elle se sent coupable de cette situation, elle aura tendance à excuser ses excès. Enfin, les enfants voudront éviter toute souffrance à leurs parents. Les jeunes se sentent naturellement la cause de tout, c'est pourquoi ils risquent fort d'adopter un rôle de sauveur envers le parent joueur. Certains d'entre eux iront jusqu'à inverser les rôles et deviendront les parents de leur parent joueur.

En somme, durant la phase de doute, la culpabilité varie selon chaque membre de l'entourage. Retenons cependant qu'elle suit un processus et qu'elle s'amplifie à mesure que les problèmes s'additionnent. Dans tous les cas, la culpabilité favorise le maintien de la phase de doute.

Quatrième facteur : l'absence de signes extérieurs

Contrairement aux problèmes d'alcool ou de drogue, le jeu ne laisse pas de traces physiques qui « dénonceraient » rapidement son consommateur. De fait, le joueur n'affiche pas de symptômes évidents de sa consommation abusive des jeux de hasard et d'argent. L'excitation qu'il ressent lorsqu'il joue n'exige pas la prise d'une substance affectant ses facultés ou modifiant sa biologie interne. Sans trop de difficulté, il peut marcher droit et conserver un regard franc, même après une éprouvante séance de jeu. Pour peu qu'il soit habile à mentir, il racontera ce qu'il veut et son entourage le croira. Même l'histoire la plus invraisemblable trouvera preneur.

Tout individu doté d'imagination peut arriver à masquer ses activités de jeu. Comme dans les sports, plus il s'entraîne à mentir, plus il y excelle. Cependant, pour le proche, cette situation pose un obstacle majeur : il ne possède pas l'information qui lui permettrait de réagir rapidement. Nous le répétons, il est tout à fait normal de se laisser avoir par les mensonges d'une personne qu'on aime et en qui l'on met sa confiance. Hélas, cela prolonge la phase de doute.

Cinquième facteur : le financement facile
Comme le joueur trouve facilement du financement pour payer ses dépenses, il peut poursuivre clandestinement ses mises effrénées. Un emprunt à la banque ou auprès d'un ami, une augmentation de la marge de crédit ou du nombre de cartes de crédit, une avance sur salaire par l'employeur, tout cela se fait par le joueur seul. Jamais il ne requiert la permission de l'entourage pour trafiquer ses finances. Sa capacité de s'approvisionner en argent lui permet d'éponger en secret ses pertes au jeu et de réparer tant bien que mal les pots cassés.

Malheureusement, le joueur en perte de contrôle ne s'en remet pas nécessairement qu'aux moyens légaux pour financer ses habitudes de jeu. De plus, il développe rapidement une expertise à manipuler son réseau de relations, et il le fait dans un unique but : poursuivre ses activités de jeu. Son aptitude à se procurer ainsi de l'argent à l'insu du proche maintient chez ce dernier la tolérance et le doute.

Pour tous ces facteurs, certains proches demeurent prisonniers de la phase de doute et n'apprennent l'existence du problème de jeu qu'au moment où leur maison est confisquée. Le choc est alors total. Le joueur a réussi à les manipuler jusqu'à l'ultime limite. D'autres proches connaissent depuis longtemps les habitudes de jeu du joueur, mais ils les tolèrent en se répétant qu'elles ne sont *pas si graves que ça* ou qu'elles sont temporaires. Puis un jour, la vérité éclate : il devient évident que le joueur a perdu le contrôle. Quoique fort intense, le choc ne sera pas aussi déstabilisant que s'il avait été totalement imprévisible. Ces deux exemples montrent bien que la durée et l'intensité de la phase de doute varient d'un proche à un autre, chaque cas étant particulier.

En résumé, il n'est pas facile de reconnaître qu'un joueur est en perte de contrôle. Le problème de jeu se camoufle si facilement ! D'ailleurs, où doit-on tracer la ligne entre les « gros joueurs » et ceux qui jouent de façon excessive ? Devant cette difficulté, il n'est pas étonnant que le jeu excessif soit qualifié de dépendance « invisible ». Tant que le joueur ment, rien n'y paraît : aucune démarche titubante, aucun visage hagard, aucune haleine viciée ne viennent le trahir, au contraire de l'alcoolique ou du toxicomane. Qui plus est, pour mieux cacher son obsession du jeu, le joueur utilise des stratégies habiles et des manipulations étonnantes. Et comme tout accro en manque, il fait tout ce qu'il peut, parfois même des choses malhonnêtes ou illégales, pour calmer son vide intérieur. Certains iront jusqu'à trahir profondément ceux qu'ils aiment.

Nous le répétons, il est normal que beaucoup de sable s'écoule dans le sablier avant qu'un proche réussisse à percer le secret du joueur : la perte de contrôle au jeu.

Mais que se passe-t-il avec Lily ? A-t-elle suivi le conseil de Claire et clarifié sa situation financière ?

LILY

Après son entretien téléphonique avec Claire, Lily décide de clarifier ses doutes avant de parler à Simon. Elle veut savoir ce qui ne tourne pas rond dans leurs finances et faire sortir le chat du sac. Telle une archéologue, elle fouille les endroits les plus insoupçonnés de la maison afin d'y découvrir des indices. Comme elle n'en trouve aucun, elle décide de rencontrer leur planificateur financier, mais se garde bien d'en glisser un mot à son conjoint. Surprise : il ne reste pas un sou dans le compte commun, et la mise à jour du livret de banque indique une foule de retraits inexpliqués à des guichets automatiques. Sur le coup, Lily s'inquiète, mais rapidement son inquiétude fait place à la colère : « Que se passe-t-il ? Que me cache-t-il donc ? »

La première grande crise liée aux finances est sur le point d'éclater. Lily attend Simon d'un pied ferme et d'une voix puissante. Elle rumine : « De quel droit dépense-t-il tout derrière mon dos ? »

Ce ne sera qu'au terme d'une longue nuit truffée d'argumentations que Simon avouera sa passion pour les jeux de hasard et d'argent. C'est le choc ! Lily n'en revient tout simplement pas ! Simon croit pouvoir « se refaire », et il la somme de le laisser jouer. Il veut un peu de temps pour lui prouver qu'elle a tort de s'énerver à ce point. « Je n'ai pas de problème avec les jeux. Je suis juste dans une mauvaise passe, affirme-t-il. Au lieu de me juger, tu pourrais essayer de me comprendre. Si, en plus, tu commences à t'y mettre toi aussi... Je te répète que tout va bientôt rentrer dans l'ordre. Sois patiente, tu verras. Parce que là, tu ne m'aides pas, Lily. Tu empires toujours tout ! »

Tandis que Simon tente par tous les moyens de convaincre Lily, qui n'entend plus rien de toute façon, la colère s'intensifie en elle. Le choc fait rapidement place à de l'incompréhension. Brusquement, elle se sent trahie. Elle n'accepte pas l'idée selon laquelle Simon peut « se refaire » si facilement. Sur le coup, elle trouve même que c'est absurde.

Mais, contre toute attente, Simon parvient à semer le doute en elle. Le lendemain, Lily se surprend à penser : « Et s'il avait raison ? Peut-être suis-je trop dure ? Peut-être le vent tournera-t-il, qui sait ? Je dois lui faire confiance, il se tire toujours d'affaire. S'il perd encore, il va sûrement arrêter. Il va apprendre. »

Lily téléphone à sa copine le matin même.

Lily. – Claire, tu ne devineras jamais ? Comme tu me l'as suggéré, j'ai clarifié notre situation financière. Il ne nous reste plus rien. Pendant que j'économise, que je travaille comme une folle, monsieur se permet de tout dilapider dans mon dos. Je ne sais pas quoi faire. Il me demande du temps. Qu'en penses-tu ?

Claire. – Pas vrai ? Pauvre Lily ! C'est épouvantable. Mais, qu'achète-t-il ? A-t-il une maîtresse, un problème de drogue ?

Lily. – Non, non, par chance, ce n'est pas aussi grave que ça ! Simon me dit qu'il a mis au point une technique pour s'enrichir au casino et qu'il a besoin de temps avant de voir les fruits de sa stratégie. Tu sais, il se fait rassurant. Il semble si convaincu de lui-même.

Claire. – Incroyable ! Pauvre Lily ! Il va vous mettre dans la rue en un rien de temps. Tu connais son côté excessif. Il a peut-être un problème de jeu. J'en ai entendu parler à la télévision. Tu ne devrais pas te mettre la tête dans le sable, Lily. Simon est peut-être un joueur compulsif et il n'y a rien à faire contre ça !

Lily raccroche : fin brutale de la conversation téléphonique. Blessée par la remarque de Claire, elle se promet de ne plus jamais reparler de cela à quiconque. Elle minimise le problème en se disant qu'elle en viendra à bout d'elle-même. Lily n'est simplement pas prête à affronter un problème de jeu.

Un problème difficile à affronter

Il est très difficile pour un proche d'avouer la présence d'un problème de jeu chez l'autre. Cela provoque de la peur et de l'insécurité. Le proche a plutôt tendance à douter de lui-même, à espérer que le comportement problématique du joueur ne sera que temporaire.

À la phase de doute, le proche trouve peu d'occasions de parler de ses difficultés à l'extérieur de la cellule familiale. Il est vrai que les préjugés sont répandus dans la population et qu'ils sont tenaces. Le problème de jeu étant perçu comme un vice, le joueur n'a pas bonne presse, et son entourage redoute les jugements négatifs. La plupart des gens ignorent que, depuis plus de vingt-cinq ans, le jeu excessif est reconnu par les médecins, les psychologues et les psychiatres comme une problématique de santé. Ils ne savent pas non plus que des thérapies existent. C'est donc souvent par ignorance qu'ils jugent négativement le joueur ou son entourage.

Les dettes qui s'accumulent et les embrouilles sont aussi une source de honte. Il est fréquent qu'un joueur *emprunte* de l'argent à un membre de sa famille ou à un ami, ou même qu'il les vole carrément. Le fait qu'il ne parvient pas à rembourser ses dettes crée une pression supplémentaire sur l'entourage, qui tient à garder cet événement confidentiel, voire secret. Le joueur excessif commet ainsi plusieurs gestes qui alimentent les mésententes avec l'entourage élargi. Par effet de contagion, la honte s'enracine dans le cœur des proches. L'isolement devient leur porte de sortie, leur voie d'évitement préférée.

Il n'y a pas que la honte qui pousse les proches à s'isoler, à protéger le *secret de famille*. Les positions catégoriques ou moralisatrices que certaines personnes entretiennent à l'endroit des jeux les rebutent. Ces personnes croient à tort qu'il est impossible d'influencer favorablement le comportement d'un joueur et qu'il est toujours préférable de s'en éloigner. Bien que cela soit vrai dans certaines situations, ce n'est pas toujours le cas. Plutôt que de faire face à de tels jugements, plusieurs proches préfèrent ne jamais souffler mot de leur histoire.

Comme nous l'avons mentionné, durant la phase de doute, le proche risque de s'en prendre davantage à lui-même qu'au joueur. La honte et la culpabilité qu'il ressent lui font parfois accepter, à son détriment, une augmentation des comportements de jeu de l'autre et le poussent à lui pardonner certains écarts de conduite. Le proche peut aussi tenter de s'adapter aux habitudes du joueur dans l'espoir que le problème disparaîtra de lui-même; par exemple, il peut le conduire dans un endroit de jeu, l'attendre patiemment ou même jouer avec lui en espérant que son soutien l'aidera à ramener sa consommation dans les limites de l'acceptable.

Enfin, durant cette phase, puisqu'il est incertain de lui-même, que son estime de soi s'effrite, le proche est sensible aux remords du joueur et à ses promesses de contrôler ses habitudes de jeu. Il se fait donc facilement manipuler. Admettons-le, le joueur manipule ceux qui se trouvent entre lui et le jeu. Pour ce faire, il n'hésite pas à utiliser le blâme, une de ses armes favorites. Ce qu'il veut surtout, c'est gagner du temps. Et il y parvient! Comme nous le verrons plus loin, le joueur possède la conviction de pouvoir se refaire: il est convaincu qu'il va bientôt l'emporter sur le jeu. Mais pour cela, il a besoin de plus de temps. Le joueur ne perçoit pas qu'il a perdu le contrôle de ses mises; il croit dur comme fer qu'il est dans une mauvaise passe. Il sent que le vent tournera tôt ou tard. De cela, il parvient à en convaincre même les proches les plus durement touchés par son jeu. En usant parfois de violence verbale, il maintient donc coûte que coûte son droit au jeu, à la victoire. Mais le vent ne tournera pas. Le joueur ne portera probablement jamais la couronne de lauriers. Le proche devra donc s'attendre à écoper de plus en plus des numéros de manipulation du joueur et de ses retours au jeu.

La première phase se termine habituellement par l'apparition des lourdes conséquences liées au jeu. Il n'y a alors plus de place pour le doute. Sans s'en apercevoir, le proche glisse maintenant vers la deuxième phase, qui est marquée par les conflits, la colère, les tentatives pour contrôler l'autre, la honte aiguë et la forte tendance à s'isoler davantage. C'est le début d'une période de crise sur fond d'insécurité. Et plus le joueur s'enfoncera, plus le proche croira que c'est à lui de trouver la solution. Sans stratégie de résolution de problèmes, toutefois, il se butera à des échecs. Cette phase, c'est celle du stress.

LA PHASE DE STRESS

Il n'y a pas à proprement parler de frontière bien définie entre les différentes phases. Le passage de l'une vers l'autre est graduel. Un mouvement de va-et-vient est même possible entre chacune des phases. Comme dans toute chose, rien n'est tout à fait blanc ni tout à fait noir. Ainsi, certaines réactions émotives chevauchent l'ensemble de ces trois phases. Par exemple, la culpabilité risque d'accompagner le proche de la phase de doute à celle de l'épuisement. Cela dit, revenons à la phase de stress, la deuxième.

Débarrassé de ses doutes, le proche doit s'attendre à traverser une période remplie d'insécurité, de peurs et de conflits. Inévitablement, il doit affronter le problème de jeu. Il tente alors de comprendre, d'aider, puis de contrôler le joueur, mais devant les retours répétés au jeu de ce dernier, il hésite entre plusieurs attitudes opposées. Il ne parvient pas à conserver son plan d'action, à imprimer une ligne directrice à sa conduite.

C'est une période de crise, de stress intense qui s'amorce : le proche ne sait plus quoi faire pour contenir les dépenses de l'autre. S'il tente parfois de convaincre le joueur de rencontrer un spécialiste, ce dernier persiste à nier qu'il a un problème de jeu. Il ne veut pas consulter, il veut se refaire ! Alors que la situation financière se dégrade, la fréquence des conflits s'accroît au rythme des retours au jeu du joueur. Un stress chronique envenime maintenant la vie du proche.

À cette étape, plusieurs membres de l'entourage du joueur ressentent des émotions mixtes quant au problème de jeu et à ses répercussions. Certains redoublent alors d'efforts pour cacher ce trouble aux autres. Ils peuvent excuser le joueur et même mentir pour le couvrir ; par exemple, ils téléphonent au bureau pour fournir un alibi à ses retards ou à ses absences et s'évertuent à faire attendre les créanciers. Quelques-uns assument entièrement les responsabilités que le joueur néglige, notamment en payant ses comptes et ses dettes. Leur vie se centre progressivement sur lui. Ils n'arrivent pas à fixer leurs limites, et le joueur en profite. Parce qu'ils nient leur individualité et leurs besoins propres, leur estime de soi s'affaiblit graduellement.

Malheureusement, tous les sacrifices faits par l'entourage n'éloignent pas le joueur de ses illusions. Pire, cette attitude le maintient à l'abri de la souffrance. Or, c'est justement cette souffrance qui pourrait le motiver à faire face à son problème. Mais, puisque les pertes d'argent du joueur affectent le proche directement ou indirectement, on comprend ce dernier de vouloir les contenir. Comme le proche est obsédé par l'idée d'éviter le pire, il résiste peu à la tentation de prendre sur lui les responsabilités du joueur. Tôt ou tard, devant tant de sacrifices, de fatigue et d'insécurité, il manifestera des réactions de survie. Ses réflexes motiveront désormais ses actions.

L'insécurité comme trame de fond

Durant la phase de stress, le proche en veut au joueur d'avoir déstabilisé sa vie et celle des autres. Il ne voit pas toujours à quel point il est affecté par un profond sentiment d'insécurité. Or, la phase de stress s'articule autour de ce sentiment négatif ; c'est son noyau dur.

L'insécurité provoque chez le proche des réflexes de survie qui le poussent à accumuler les responsabilités et à faire d'immenses sacrifices. Il tente ainsi de bien des façons de contenir les problèmes, de contrôler du mieux qu'il peut le joueur excessif. Après un bout de temps, puisque rien n'arrive à retenir ce dernier, le proche doute du bien-fondé de son attitude. Il essaie alors de se comporter différemment, d'ajuster sa « solution ». Parfois autoritaire, parfois soumis, il ne parvient pas à trouver le juste milieu, ce qui augmente d'autant son insécurité. Il ne réussit pas non plus à fixer ses limites. Il s'éloigne d'une communication affirmative qui favoriserait la collaboration du joueur.

La plupart du temps, le proche alterne entre la prise en charge des responsabilités du joueur et le désengagement. C'est donc dans l'ambivalence qu'il vit cette longue et pénible phase de stress.

Comme le proche cherche à contenir les excès du joueur et les conséquences négatives de son jeu, il ressent un stress intense qui l'amène à s'isoler du reste du monde. De plus, puisqu'il vit lui-même de la culpabilité et de la honte face à ces excès, il redoute le regard des autres. Il les évite. Il préfère souvent affronter cette problématique dans la solitude. Le jeu de l'autre devient son défi personnel et il fera tout ce qui est en son pouvoir pour contrôler la situation. À cet égard, on peut faire un rapprochement intéressant entre les pilotes d'avion et les proches d'un joueur.

Bien qu'on enseigne aux pilotes à s'éjecter de l'avion lorsque tout va mal, la plupart d'entre eux, lorsqu'ils sont face à une situation d'urgence, décident d'y demeurer jusqu'à la fin. Que cette fin soit heureuse ou malheureuse, ils risquent leur vie pour protéger celle des passagers. Il semble que les pilotes tentent de reprendre le contrôle dans l'environnement qu'ils connaissent le mieux. Ils ne se résignent pas à abandonner l'avion. Tant que l'avion vole, il y a de l'espoir ! Le proche d'un joueur en perte de contrôle agit tel un pilote d'avion. Intuitivement, il espère reprendre le contrôle de la situation, il s'accroche à ce qu'il connaît le mieux : les gens qu'il aime. Sa réaction est tout ce qu'il y a de plus fondamental en l'être humain.

La spirale de la culpabilité

Une fois la phase de stress installée, la culpabilité du proche du joueur en perte de contrôle n'a pas tendance à diminuer. Au contraire, la plupart du temps elle s'accentue. Comme durant la phase de doute, il n'est pas rare que le proche fasse surgir du passé tous les événements pour lesquels il s'en veut. Il entre alors dans ce qu'il est convenu d'appeler la spirale de la culpabilité. Il se souvient, par exemple, de toutes les fois où il a été dur envers l'autre ou accusateur. Il souffre en pensant qu'il n'a pas toujours été aimant envers le joueur, du moins pas comme l'amour romantique le voudrait. Avec le temps, et la quantité de « preuves » qu'il accumule contre lui-même, le proche finit par se déclarer coupable. Puisqu'il faut trouver un fautif au jeu, ce sera lui.

Habituellement, la culpabilité est plus intense lorsque le problème de jeu se déclare au sein d'une relation établie depuis un certain temps. Le proche croira qu'il a mal aimé le joueur puisque son amour n'a pas réussi à freiner la progression de la dépendance. Devant l'échec de ses tentatives à protéger l'autre contre ses excès au jeu, il se juge incapable d'aimer correctement. Il en déduit qu'il fait partie de la cause du problème : s'il savait aimer, se dit-il, le joueur cesserait de jouer. En réaction à cela, le proche tente parfois de donner une surdose de compréhension et d'amour. Quel beau paradoxe ! Le proche veut aimer le joueur, mais, au fond, il se sent en colère contre lui !

Bien que nos connaissances en psychologie n'aient jamais démontré que l'amour pouvait empêcher quiconque de développer une dépendance aux jeux, plusieurs personnes croient que ce sentiment est tout-puissant et qu'il leur permettra de changer la situation. En réalité, cette croyance augmente la culpabilité des proches qui ignorent les causes réelles du jeu excessif : comme le changement ne se produit pas tel qu'ils l'ont espéré, ces proches sont convaincus que l'échec leur est attribuable et se blâment. On peut expliquer ainsi cette tendance : toute personne a naturellement besoin de comprendre les malheurs qui l'affligent et d'en trouver les causes. Dans ce cas-ci, les causes retenues ne sont pas les bonnes.

Devant la situation qui perdure, le proche doute de sa capacité à soutenir l'autre, à lui venir en aide. Il pense parfois même ne pas être une bonne personne ni même ne jamais l'avoir été. Il explique le jeu excessif de l'autre par ses propres manques ou ses défauts de caractère, présents ou passés. Il oublie que le mal dont souffre le joueur prend sa source en lui-même et que la solution ne pourra donc provenir que du joueur lui-même.

Ainsi, la phase de stress se caractérise par une augmentation des sentiments d'insécurité et de culpabilité chez le proche et par sa propension à prendre les responsabilités du joueur.

Les tentatives de contrôle

Les tentatives visant à contrôler un joueur en perte de contrôle sont, la plupart du temps, vouées à l'échec. Il se peut que, par le raisonnement, le joueur accepte d'abord de se plier aux exigences d'un proche ; par exemple, il lui confiera volontiers sa carte de guichet automatique. Mais bientôt, comme son problème de jeu est *plus fort que lui*, il ne peut s'empêcher de retourner à son jeu préféré. Envahi par le désir de jouer, il repousse alors la nouvelle mesure d'aide ou même la rejette violemment, puis il blâme le proche de ne pas le comprendre, d'être trop contrôlant. En faisant tout son possible pour récupérer sa carte bancaire, il transforme la vie du proche en un véritable enfer. Répétons-le : les tentatives de contenir les excès d'un joueur mènent rarement au succès. Qui plus est, ce dernier retournera contre le proche toute tentative d'encadrement.

Ce que le proche doit saisir ici, c'est que la perte de contrôle au jeu prend racine à l'intérieur du joueur. Ses idées fausses à l'égard des jeux le tiennent captif de son désir de jouer. Puisque ce désir relève de sentiments profonds et d'émotions fortes, le joueur devra trouver des solutions qui apaisent sa souffrance. Tant qu'il ne s'attaquera pas à la racine de son mal-être, toutes les tentatives extérieures qui visent à le contrôler échoueront.

Pour résister aux tentatives de contrôle du proche, le joueur n'hésitera pas à utiliser le mensonge et la manipulation. En fait, pour lui, tous les moyens sont bons pour s'adonner à son jeu préféré et il déploiera toute l'énergie nécessaire pour reprendre pied, trouver de l'argent et poursuivre ses mises. En pleine détresse, le joueur est plus fort que les mesures qui visent à le contrôler. On pourrait comparer sa force à celle d'une personne en train de se noyer.

Un individu qui se noie se débat en effet avec une force quasi surhumaine. Le baigneur devient plus fort qu'un bœuf, mais aussi plus aveugle qu'une taupe. Seule sa vie compte. Et plus il fouette l'eau dans le but de s'en sortir, plus il s'étouffe et se laisse gagner par la détresse. Ne trouvant ni appui ni bouée, il est paniqué et perd totalement le contrôle. Hélas ! le baigneur répète avec plus d'intensité ce qui ne fonctionne pas : il se débat toujours plus fort. Prisonnier d'une eau calme, il crée une tempête qui se referme sans fin sur lui. Attention ! toute main tendue vers lui encourt un danger !

L'analogie entre le joueur en perte de contrôle et le baigneur en situation de noyade illustre bien les risques qu'on court à vouloir tirer quelqu'un d'un danger. Pour leur part, les sauveteurs savent qu'ils sont devant un combat à armes inégales, la personne en détresse étant alors très puissante. Ils déconseillent totalement de tendre une main nue à un baigneur qui se noie, même lorsque cela semble logique. Tout sauveteur bien formé interposera un objet, par exemple une bouée, entre lui et la personne en détresse. D'expérience il sait que, sans cette protection, le risque de servir de bouée humaine est trop grand : le baigneur voudra s'agripper à lui avec l'énergie du désespoir et l'entraînera dans son tourbillon de panique. Il n'aura même pas conscience qu'il menace la vie de quelqu'un !

Par ailleurs, dans la phase de stress, il est facile pour un proche de se laisser séduire par l'idée de contrôler les excès du joueur. C'est que l'argent se dissipe plus rapidement que brume en mer. Le proche peut alors entreprendre de faire la lutte au jeu, voire au joueur. Il invente toutes sortes de stratagèmes afin de reprendre le contrôle de la situation, mais l'autorité qu'il déploie accentue la tension entre lui et le joueur. Par analogie, tenir les mains d'une personne alcoolique ne fera jamais disparaître son besoin irrépressible de boire. Le contrôle ouvre peu de portes vers le changement. Pour amorcer un changement en profondeur, le joueur doit entrer en contact avec sa souffrance, mais aussi avec l'espoir qu'il peut surmonter son épreuve. Or, le contrôle que le proche exerce sur lui provoque davantage de colère qu'une véritable souffrance. Non seulement le joueur est-il ainsi grandement exempté de cette souffrance, mais il la transforme en blâmes et la rejette sur le proche.

Les comportements manipulateurs du joueur incitent parfois le proche à délaisser l'attitude autoritaire pour une relation plus conciliante. Puisque la méthode forte ne fonctionne pas, il s'aventure du côté de la douceur. Il se peut aussi qu'il choisisse de se désengager complètement du joueur : il maintient alors une « relation » avec lui, mais fait comme s'il n'existait plus. En clair, le proche ne parvient plus à fixer ses limites, à maintenir une ligne de conduite cohérente, basée sur ses besoins véritables. Et le joueur n'hésite pas à tirer profit de ce changement d'attitude, car il facilite ses escapades au jeu.

La phase de stress se caractérise donc également par une difficulté du proche à maintenir un plan d'action ; elle l'amène à prendre trop de responsabilités ou à se désengager complètement du joueur. De son côté, le joueur ment, ce qui fait que le proche ne peut plus faire de choix avertis. Pas surprenant qu'il ait de la difficulté à naviguer dans cette mer d'impossibilités ! Mais ce n'est pas les essais qui manquent : fermeté, écoute, gentillesse, aide financière, le proche tente presque tout. À son grand désarroi, rien ne fonctionne. Et rien ne peut fonctionner, car le joueur vit d'illusions : il se laisse porter par les vagues des gains et des pertes. Pendant ce temps, le proche s'inquiète des autres, il est angoissé face à l'avenir et assume injustement les responsabilités que le joueur néglige. Il perd l'équilibre, car il n'a plus de balises.

Voyons maintenant où en est Lily.

LILY

Comme bien des proches de joueurs excessifs, après la période de doute, Lily file tout droit vers une période de crise, de stress. Désormais, elle n'accepte plus les remords de son conjoint ni ses promesses de ne plus jouer. Simon n'arrive plus à la rassurer, trop de conséquences financières sont devenues pressantes.

Seule, Lily entreprend de freiner les ardeurs de Simon. Elle est catégorique : elle l'arrêtera de jouer. Elle ignore cependant à quel point la passion de Simon est envahissante. De son côté, Simon ne désire qu'une chose : gagner du temps pour se refaire. Tout est en place pour que la souris se joue du chat. Et pour longtemps !

À l'amorce de cette phase de stress, Lily tente donc par tous les moyens de rétablir la situation. Avant toute chose, elle désire contenir l'hémorragie financière et ambitionne de contrôler les activités de jeu de Simon. Par réflexe, elle en prend la responsabilité. Devant l'entêtement de son conjoint à retourner au jeu, elle lui hurle qu'il est malade, qu'il devrait se faire soigner.

Elle est de plus en plus anxieuse et de plus en plus en colère.

Décidée, Lily prend rendez-vous chez un spécialiste pour Simon. Faut-il s'en étonner, ce dernier ne s'y présente pas, mais il affirme le contraire ; le psychologue lui aurait d'ailleurs confirmé qu'il ne présentait pas de problème de jeu. «Il m'a même dit que tu devais être trop inquiète ou nerveuse, et que cela mettait de la pression sur moi. Selon lui, c'est toi qui devrais être assise devant lui ! » Lily se sent profondément blessée par cette histoire qu'elle sait fausse. Mais comment discourir avec quelqu'un qui ment, qui utilise des arguments menant à une impasse ?

«Et s'il avait effectivement rencontré un psychologue ? S'il disait vrai ? Peut-être suis-je trop nerveuse ? » se dit-elle. Devant les numéros de manipulation de Simon, l'estime de soi de Lily s'affaiblit. Dans un futur rapproché, en manque d'estime pour elle-même, il lui sera difficile d'agir en pensant à elle. Elle risque de se décentrer complètement d'elle-même, de trop en faire pour Simon.

Pour l'instant, Lily cherche d'autres avenues, d'autres moyens d'empêcher Simon de jouer. «Eurêka ! Pourquoi ne pas cacher son portefeuille et ses cartes de crédit ? Forcément, en l'absence d'argent, Simon ne pourra plus jouer », pense-t-elle. Il fallait bien qu'elle s'y attende, aux yeux de Simon, Lily est un agresseur. Et les disputes se succèdent entre eux.

Dans cet univers familial qui ne tourne pas rond, Lily ne s'y retrouve plus, elle perd pied. Elle affiche une perte de vitesse émotive devant les histoires folles de Simon qui se multiplient. Elle sent qu'elle s'éloigne de ses deux enfants, qu'elle est plus agressive à leur endroit. Elle est maintenant ambivalente : devrait-elle tout contrôler, prendre Simon en charge ? Ou devrait-elle plutôt le laisser à son destin, se désengager de lui ?

Après avoir essayé la cachette, le dialogue, le spécialiste, le contrôle, l'accompagnement et le soutien, Lily décide de changer son fusil d'épaule. Un nouveau moyen s'offre à elle: surcharger l'horaire de Simon de courses et de rendez-vous. «S'il n'a plus de temps pour lui, il oubliera le jeu.» Mais comment attraper l'homme devenu invisible? Cette tentative de rapprochement connaît une fin navrante: la crise! Le temps presse. Le temps manque. Néanmoins, Simon gagne du temps.

Plus les querelles augmentent, plus Lily se sent rejetée, inutile, inquiète. Elle doute de surmonter le problème de jeu de son conjoint. Sa sécurité acquise à durs coups de travail s'envole. Devant ses échecs à contrôler Simon, son humeur s'attriste et son énergie cède. Lily s'isole davantage des gens et même de ses enfants.

Nicolin et Odile ne sont plus comme avant, ils ressentent à leur façon l'*abandon* de leur père et de leur mère. Ils manifestent des comportements de révolte et de retrait; ils commencent à se rebeller. Il va sans dire que Lily en ressent une grande culpabilité. La phase de stress affecte toute la dynamique de la famille, et même bien au-delà.

La honte et le ressentiment gagnent du terrain dans son esprit. Les horizons semblent se refermer sur elle. Lily a honte de Simon, d'elle et de ses échecs. Comme l'ours se coupe de l'hiver en guise de protection, elle hiberne des autres. Où mèneront tous les sacrifices qu'elle fait?

Les réflexes de survie

Dans la phase de stress, la vie du proche est composée d'une suite ininterrompue de sacrifices. Mais vient un temps où il ne sait plus quoi faire pour éviter le pire. Qu'il fasse un pas vers la gauche, un autre vers la droite, un troisième vers l'arrière ou vers l'avant, c'est l'échec. «Je ne dois pas me comporter correctement», songe-t-il, devant tant d'efforts infructueux et d'échecs inattendus. Tel un volcan éteint en apparence mais sur le point d'exploser, il contient avec peine une bouillante colère. Ses expressions faciales de plâtre trahissent cependant une blessure profonde et des émotions mixtes d'une rare intensité. C'est donc en pleine période de stress que la confusion risque de prendre racine en lui.

Devant les responsabilités financières, le harcèlement des créanciers, l'éloignement émotif du joueur et le manque d'argent, le proche vit une grande insécurité. Avouons-le, le joueur en perte de contrôle peut facilement dénuder son entourage de sa protection quant à l'avenir. Le joueur érode ainsi ce qu'il y a de plus précieux chez une personne : son sentiment de sécurité. Et lorsque le sentiment de sécurité d'un individu est attaqué, ce sont les réflexes de survie qui guident ses décisions. Le proche réagit alors comme le fait une victime en face d'un agresseur : il paralyse, il combat ou il fuit.

Les réflexes de survie expliquent plusieurs des réactions du proche lors de la période de stress. Dans l'urgence, ces réflexes l'emportent sur les prises de position rationnelles. Bien qu'ils soient parfois peu adaptés à la situation, ils visent néanmoins la protection de la personne.

La paralysie comme réflexe de survie

Un joueur qui nie son problème de jeu excessif risque de provoquer les pires conséquences, ce qui hypothèque le sentiment de sécurité de son entourage. Il n'est donc pas étonnant que, dans la phase de stress, le proche s'alarme. En réalité, chaque personne possède un *système d'alarme émotif* contre les attaques à sa sécurité. Chaque personne a des réflexes de survie. Étrangement, un de ces réflexes consiste à paralyser, à ne rien faire, à figer là. Mais en quoi le fait de paralyser peut-il être considéré comme un moyen de survie ? Pourquoi ne sert-il à rien de s'en culpabiliser ?

Cette attention à ne pas faire de vagues est très bien comprise des spécialistes de l'enfance. Et il s'agit bel et bien d'un réflexe ; à preuve, lorsqu'un très jeune enfant rampe sur une table faite d'une section en bois solide et d'une autre en verre transparent, il s'arrête net quand il atteint le verre, bien qu'il soit très solide. L'enfant fige de peur. Rien n'arrive à le faire bouger. Ce réflexe émotif assure la survie de l'enfant, un peu comme s'il *lui disait*: «Dans le doute, abstiens-toi!» Ce n'est pas à la suite d'un raisonnement poussé que l'enfant cesse d'avancer, mais uniquement par réflexe.

Le réflexe qui consiste à paralyser devant une agression à la sécurité est pour ainsi dire animal. Il est déclenché par une partie du cerveau plus émotive, moins rationnelle. Par exemple, à la moindre menace, le lièvre se fige pour se fondre à la neige; cela lui permet de passer inaperçu au regard des prédateurs et d'assurer sa survie sans avoir à s'élancer dans une course affolée. Parallèlement, en figeant, le proche cherche à se protéger du joueur qu'il perçoit comme menaçant. En effet, certains joueurs, en manque de leur jeu préféré, deviennent agressifs; la moindre contrariété ouvre la voie à leur violence. Grâce à la paralysie, le proche indique au joueur agressif qu'il refuse la provocation et la lutte. Rappelons qu'il s'agit d'un réflexe et non d'une décision mûrement réfléchie; donc, le proche n'a pas à s'en vouloir de réagir ainsi.

L'ampleur de la menace influe sur l'ampleur du réflexe de survie. Il est facile de comprendre qu'une victime de vol à main armée paralyse de peur lorsqu'une arme est braquée sur sa tempe: la menace à la sécurité est criante. Bien que la menace soit plus subtile durant la phase de stress, elle n'en est pas moins réelle: en s'attaquant à la sécurité globale du proche, le joueur provoque, la plupart du temps, l'apparition d'un réflexe de survie. Plus un proche se fait manipuler, plus il se fragilise. Comme il est plus vulnérable, il perd confiance en lui; ses réflexes de survie prennent alors davantage de place dans sa vie et se déclenchent plus facilement. Et tandis que le proche s'en prend à lui-même, qu'il s'en veut d'avoir paralysé, de n'avoir pas su réagir, le joueur finit par croire les mensonges qu'il raconte.

Dans la plupart des cas, l'entourage du joueur subit une violence psychologique, mais il ne le voit pas toujours. Le joueur se décharge souvent très habilement de sa responsabilité en accusant le proche. Il ne veut pas forcément changer dès qu'il se fait dire qu'il a un problème! Le plus souvent, il résiste, il nie. S'il ne souffre pas suffisamment des conséquences de son jeu, alors il blâme l'autre de mille torts. Bien tristement, plus le joueur se fait accusateur, plus le proche risque de voir son estime de soi diminuer. Cette violence psychologique agit habituellement à la manière des gouttes d'eau répétitives qui abîment les surfaces les plus solides : elle fragilise le proche et augmente son sentiment d'insécurité. Par conséquent, le réflexe de survie du proche qui consiste à paralyser s'activera de plus en plus souvent.

Tout le cycle des tromperies et des manipulations que crée le joueur engendre un climat d'insécurité inscrit sur fond de colère. Le fantôme du jeu dérange. D'un côté, le proche veut faire la lumière sur la situation et chasser le fantôme ; de l'autre, le joueur fait tout en son pouvoir pour tenir ce fantôme hors d'atteinte. Et tant que le spectre du jeu existera, aucune communication véritable ne sera établie. Dépossédé d'une information juste, le proche ne sait plus sur quel pied danser... et paralyse. C'est ce qui arrive à Lily.

LILY

Isolée, Lily demeure prisonnière de ses tracas. La culpabilité et la colère crient en elle comme le feraient deux êtres affolés. Lily se blâme de ne pas être capable de raisonner Simon. Elle voudrait tant restreindre son comportement de jeu. Elle s'en veut du fait qu'il lui cache des choses et s'accuse d'être incapable de stimuler sa confiance. Mais au-delà de tout, elle ne comprend pas sa propre réaction : « Pourquoi ne lui ai-je rien répondu l'autre nuit ? Suis-je faible à ce point ? »

L'autre nuit, Simon a reproché à Lily de vouloir le contrôler. « Tu es devenue calculatrice, contrôlante, et tu ignores tout dans le fond. Un homme n'a pas les mêmes besoins qu'une femme. Où est ton problème ? » lui a-t-il lancé sur fond de provocation. Devant cette agressivité, Lily s'est figée sans rien dire. Elle enrage contre Simon, mais ce n'est rien en comparaison aux accusations qu'elle se porte en raison de son manque d'affirmation. Le fait de paralyser devant Simon augmente sa confusion et diminue son estime de soi.

Le combat comme réflexe de survie

Le taux d'émotivité entre le proche et le joueur est propice à l'apparition de différents réflexes de survie. Si un certain réflexe s'active dans une situation précise, un autre pourra prendre la relève un peu plus tard. Étonnamment, un proche peut vivre différents réflexes de survie dans une même journée. Ces réflexes se déclenchent automatiquement, sans l'intervention de la pensée. Chaque personne possédant une nature complexe, il n'est pas possible pour elle de prévoir l'apparition d'un réflexe de survie en particulier. Par exemple, le matin elle pourra manifester une paralysie devant la menace, alors que le soir elle pourra sentir une pression à combattre, à contre-attaquer.

Le réflexe de survie qui pousse une personne vers le combat s'active devant certaines menaces physiques ou psychologiques. L'exemple d'une employée de banque qui bondit sur un cambrioleur contre toute logique illustre bien ce mécanisme. Ici, ce n'est pas la victime qui choisit consciemment de réagir par le combat, c'est le réflexe de survie qui commande sa réaction. Comme nous l'avons vu précédemment, la détresse humaine augmente la force. Aussi, il est fréquent pour une victime qui ne fait pas le poids d'agresser un attaquant, même armé. Cette réaction réflexe, parfois surprenante ou contre-indiquée, n'en est pas moins une de survie. On la remarque occasionnellement chez les très petits chiens qui n'ont pas conscience de la dangerosité des animaux plus gros. Devant la menace d'un berger allemand, d'emblée peu sympathique, il arrive qu'un petit chihuahua, cette puce d'audace, attaque le premier. Par malheur, le réflexe du chihuahua ne se déclenche pas forcément au meilleur moment… Comme ce réflexe de survie ne dépend pas de la logique, il entraîne parfois des conséquences fâcheuses.

On l'a mentionné, le joueur en perte de contrôle menace directement le sentiment de sécurité du proche. Aussi, plus personne dans son entourage ne sait jusqu'où ira sa déroute. L'incertitude générale que le joueur crée autour de lui en niant sa responsabilité génère un climat permanent de peur. La peur, cette émotion si désagréable, fragilise le proche en le rendant plus vulnérable à ses réflexes de survie, dont celui de combattre. Le proche et le joueur assistent à la montée d'une détresse qu'ils ne maîtrisent pas. Ne sachant pas quoi faire pour l'atténuer et empreints de colère, ils commettent parfois des gestes automatiques de violence qu'ils regrettent par la suite. Toutefois, et il est important de le souligner, il ne faut pas excuser la violence entre un proche et un joueur par ce réflexe de survie. Tout comportement de violence est à éviter.

La colère découle des pensées automatiques qui habitent le proche. Cette émotion, normale en soi, doit cependant être apprivoisée. La colère pousse à l'offensive, braquant ainsi toute personne vers qui elle se dirige. Le mode *lion* qu'elle installe entre le proche et le joueur n'entraîne pas une résolution adéquate des problèmes.

Dans l'exemple suivant, Lily pense à la force physique qu'elle utilise parfois contre Simon. Son geste n'est jamais prémédité; il découle de sa colère. Dans une telle situation, la logique fait rapidement place à l'émotif, à l'automatisme.

LILY

Aujourd'hui, Lily rumine la dernière scène où, tentant de retenir Simon d'aller jouer, elle s'est carrément imposée à lui. Lutter ainsi contre son conjoint lui est tout aussi étranger que de paralyser devant lui. Parfois elle se sent inhibée et triste, et parfois elle n'hésite pas à déployer sa force physique.

Très affectée par ces comportements inhabituels, Lily s'y perd. À vrai dire, elle ne se reconnaît pas. Son humeur changeante lui fait douter de sa santé mentale. «Suis-je déraisonnable ou simplement en train de devenir folle?» se demande-t-elle. Elle ne sait plus comment interpréter ses réactions d'une manière constructive. Son estime de soi est en chute libre…

ATTENTION!
Le réflexe de combattre résout rarement les difficultés; aussi, le proche ne peut compter sur lui pour atteindre l'équilibre. À long terme, le combat envenime sa relation avec le joueur. Le proche aura donc avantage à établir une stratégie de résolution de problèmes basée sur une méthode éprouvée. En l'absence d'une telle stratégie, le combat à lui seul entraînera des conséquences négatives plus graves.

La fuite comme réflexe de survie

Outre la paralysie et le combat, un autre mécanisme de survie se met en branle durant la phase de stress: la fuite. Mais pourquoi faut-il considérer la fuite comme un réflexe de survie? Pour mieux intégrer cette notion, un détour du côté du système nerveux s'impose.

Qui ne connaît pas le réflexe universel de retirer rapidement son doigt d'une source de feu? Dans ce cas, il est heureux que le système nerveux réagisse plus rapidement que la pensée. Le cerveau n'a pas à analyser longuement la nature de ce danger avant d'activer une réaction de survie! Le réflexe de fuite permet donc d'éviter de graves blessures.

Le réflexe de fuite a assuré, en partie, la survie de la race humaine. Devant un danger, le cœur bat fort, le sang circule rapidement, puis une poussée d'adrénaline peut motiver les individus à courir, à trouver un refuge. Sans ces réflexes, il y a fort à parier que les lions, les ours et les autres mammifères n'auraient fait qu'une bouchée de nos ancêtres. Il est normal de chercher à fuir lorsqu'on a peur. Et si la fuite s'avère efficace d'un point de vue physique, elle l'est parfois tout autant en matière de psychologie. Elle procure un moment de répit nécessaire devant les difficultés qui paraissent insurmontables. Aussi, durant la phase de stress, le proche doit s'attendre à traverser quelques épisodes de fuite.

La fuite, dans un contexte où le stress est d'une intensité peu commune, n'implique pas forcément le divorce, la séparation ou l'abandon d'un joueur en perte de contrôle, même si ces choix sont tout à fait légitimes. Bien que certains proches prennent cette voie durant la phase de stress, elle ne constitue pas le chemin le plus fréquenté. En effet, paradoxalement, les problèmes, les mensonges et les silences du joueur agissent sur le proche comme le fait l'océan Atlantique en s'interposant entre deux amoureux : plus l'obstacle est grand, plus il attise la nature fusionnelle d'une relation. Voilà pourquoi tant de proches ne se résignent pas à rompre leur relation avec le joueur. Leur réflexe de fuite se manifestera plutôt par des activités ou par la prise de substances qui entraîneront de brefs soulagements.

Plus un joueur met en danger la sécurité d'un proche, plus ce dernier désire calmer rapidement ses émotions. La nourriture, l'alcool, la drogue, la médication, le magasinage, Internet et, bien sûr, le jeu peuvent devenir attirants pour une personne qui souffre. Évidemment, si l'acte de fuir comporte des avantages, il présente également son lot de risques.

Les émotions ressenties par le proche seront d'autant plus intenses que le joueur a des comportements inconstants. S'il se dit prêt à cesser de jouer mais poursuit ses retours au jeu, il fait grimper en flèche le taux de stress du proche, qui vit alors de véritables montagnes russes sur le plan émotif. Ce dernier, ne sachant pas quoi faire pour s'apaiser, peut utiliser la fuite comme exutoire. Par malheur, cette option ne mène pas toujours à l'adaptation : la fuite ne règle pas les problèmes d'amour, de confiance, de relations, d'émotions, de sentiments ou de finances.

Pour sa part, Lily utilise la nourriture afin de fuir provisoirement sa réalité psychologique devenue trop douloureuse.

LILY

Pour apaiser sa souffrance, Lily recourt désormais à l'effet tranquillisant de la nourriture. Les croustilles, le chocolat et les gâteaux n'ont pas le temps de s'habituer à la noirceur de l'armoire que déjà ils disparaissent! Lorsqu'elle mange, Lily oublie tout. Certes, elle aura à en payer les coûts psychologiques et physiques, mais pour l'instant, elle trouve là une façon de contenir ses émotions. Et l'équation semble directe: plus elle est anxieuse, plus elle mange. Pendant qu'elle se gave, elle ne ressent pas son insécurité.

Alors que son conjoint fuit dans les jeux, Lily s'évade dans le sucré, le salé et le croustillant. Sa compulsion dans la nourriture agit à titre de fuite réflexe.

ATTENTION!

Le soulagement à court terme que le réflexe de fuite procure entraîne souvent, à plus longue échéance, des effets pervers. En l'absence d'une stratégie de résolution de problèmes, la fuite deviendra néfaste. Il est préférable que tout proche d'un joueur acquiert les attitudes qui le conduiront vers une solution efficace. La troisième partie de ce livre propose des pistes concrètes en ce sens.

L'anxiété

La phase de stress est complexe et souffrante. Elle représente la phase charnière, le réel défi du proche. Alors que le joueur se déresponsabilise de presque tout, le proche voit exploser ses responsabilités. En pleine période de stress, il se compare à un marathonien qui ne sait pas où mène sa course ni même si elle s'arrêtera; il court malgré les intempéries et le stress.

À faible dose, le stress stimule ou motive plusieurs personnes à passer à l'action. Cependant, en trop grande quantité, il entraîne des effets négatifs. Comme le proche est maintenu dans un pénible climat d'incertitude, ses réflexes de survie sont stimulés ; à ces réactions s'ajoute une forte poussée d'anxiété. Malheureusement, ses pensées anxieuses modifient ses décisions. Débordé par les peurs et le stress, le proche souffre de ne plus savoir où fixer ses limites, celles qui lui permettraient de retrouver un équilibre. Ses pensées anxieuses battent au rythme des conséquences négatives qui s'abattent sur lui.

Plusieurs réactions d'anxiété surviennent lors de la phase de stress. Face au joueur en perte de contrôle, le proche se bute à un grand bouleversement dont il ignore les causes exactes et, surtout, les conséquences futures. Devant ses échecs à régler le problème, à contrôler le joueur, le proche perd confiance en lui. Dans cet état, il perçoit les obstacles comme infranchissables. Évidemment, plus le proche est lié au joueur, plus il se sent concerné par ces obstacles. Comme il ne se croit plus capable de leur faire face, il risque de développer des pensées catastrophiques à leur égard.

Ainsi, le proche qui manque d'estime de soi se percevra comme inapte à faire face aux menaces. C'est un peu comme si, devant une montagne déjà haute, il utilisait un télescope pour la voir de plus près : du coup, la montagne explose sous ses yeux. Le proche se sent trop petit, trop vulnérable. Face à pareille menace, son corps se rebelle en lui envoyant toutes sortes de signaux physiques. En somme, l'anxiété est une réponse du corps à une façon de penser. Ce sont donc les pensées du proche à l'égard d'une menace qui créent ses malaises anxieux. Plus son discours intérieur est dramatique, plus son corps lui envoie des signaux de détresse.

Mais comment le corps transmet-il le sens de l'urgent lors d'une réaction anxieuse ? À l'apparition de pensées dramatiques, le rythme respiratoire et les pulsations cardiaques de la personne augmentent. Plus l'anxiété progresse et plus les réactions du corps se diversifient pour que le message de danger soit clairement perçu. Étourdissements, sensation d'étouffer, bouffée de chaleur, sudation accrue et insomnie font partie de ces manifestations.

Étonnamment, même lorsque la menace n'est qu'anticipée ou appréhendée, le corps envoie des signaux d'anxiété. Le fait d'entretenir des idées dramatiques excite le corps de façon réflexe, comme si le danger était immédiat. Ainsi, l'anxiété est un système d'alarme hypersensible qui se déclenche devant un danger perçu, que ce danger soit réel ou non. Par exemple, le proche d'un joueur peut devenir anxieux au moment de lire son journal ; bien à l'abri dans sa maison, une bonne tasse de café à la main, il peut s'inquiéter du joueur : « Et s'il était au casino ? S'il jouait au lieu de travailler ? » Il est possible et normal de percevoir une certaine forme de danger dans une telle pensée ; en réaction à cela, le proche ressentira des malaises physiques ou, du moins, un inconfort. Plus ses idées seront dramatiques, plus il ressentira une forte poussée d'anxiété.

L'anxiété est un réflexe contrôlé par le système nerveux autonome. Son déclenchement ne dépend pas de la volonté de l'individu. Bien qu'il s'agisse d'une sensation désagréable, il importe de savoir que sa durée est limitée : inévitablement, l'anxiété monte pour redescendre de façon graduelle comme la neige fond au soleil. Elle n'entraîne pas la perte de contrôle, la folie ou la crise cardiaque. Soulignons qu'une stratégie de réévaluation des idées automatiques sera abordée dans le troisième chapitre de ce livre ; s'il apprend cette stratégie, le proche pourra s'apaiser lui-même.

Reflet d'une détresse psychologique, l'anxiété demeure une émotion très désagréable tout au long de la phase de stress. Le proche d'un joueur en perte de contrôle peut donc s'attendre à vivre plusieurs épisodes anxieux. Devant l'omniprésence des menaces, il subit une pression d'autant plus forte qu'il se dévalorise ou se sent coupable. Moins une personne se fait confiance, moins elle se sent capable d'affronter les problèmes. Elle se laisse alors envahir plus facilement par un discours intérieur dramatique qui engendre son anxiété.

Durant la phase de stress, le proche est en continuel déséquilibre. Toute sa relation avec le joueur se teinte d'un mode de pensée où l'ambivalence entre l'amour et la haine domine. Il s'interroge sur la nature des sentiments qu'il vit à l'endroit du joueur. Il ne sait plus comment agir envers lui. Il est anxieux, en colère, et il risque de s'épuiser. Comment le proche peut-il sortir grandi de cette éprouvante phase de stress ? Comment peut-il éliminer le trop-plein de responsabilités qu'il prend ? Comment peut-il fixer ses limites face au joueur ? Autrement dit, comment le proche peut-il assurer sa sécurité physique et psychologique ? Avant d'aborder les solutions qui permettent de surmonter la phase de stress, explorons la phase d'épuisement qui guette tout proche en mal d'une stratégie de résolution des problèmes.

LA PHASE D'ÉPUISEMENT

Puisqu'il n'arrive pas à résoudre les difficultés, le proche vit continuellement des peurs, du stress, des frustrations et des déceptions, ce qui l'amène progressivement dans la phase d'épuisement.

Au cours de cette troisième période, le joueur joue toujours de façon excessive. Bien sûr, en réaction aux demandes de son entourage, il multiplie les promesses de cesser de jouer, mais ses promesses, il les brise sans arrêt. Le proche, de son côté, sait désormais qu'il ne contrôle pas la situation, que seul le joueur peut décider de s'éloigner du jeu. Il est conscient que, malgré son insistance, il ne peut empêcher le joueur d'aller jouer.

Envahi par la rage, l'impuissance et l'insécurité, le proche se retrouve coincé dans la phase d'épuisement. Sa détresse s'accompagne alors de symptômes physiques : perte d'appétit, insomnie, maux de tête, troubles gastro-intestinaux, palpitations cardiaques, fatigue chronique, maux de dos, etc. S'il ne sort pas de son isolement et ne demande pas de l'aide, il sera difficile pour lui d'éviter la dépression.

Mais où en est Lily dans tout ça ?

LILY

« Pas drôle du tout ! Du matin au soir, il continue à regarder tourner des rouleaux : 7, cerise, cloche, cloche ! Mais qu'est-ce qui cloche ? Il nous manipule. Il ment. Il vole. Il nous ignore. Et parfois, il est méchant. Même s'il voit que toute la famille en souffre, il s'en fout, il ne pense qu'à lui ! S'il avait du cœur, il arrêterait. Le fait-il exprès ? » Lily désespère devant l'acharnement de Simon à retourner au casino. Rien de ce qu'elle tente ne fonctionne. Pire, tout se retourne contre elle.

Lily ne parvient plus à contenir sa rage contre Simon. Elle se sent honteuse, impuissante et dépressive. Et pour aggraver sa situation, elle n'arrive plus à fermer l'œil ni à digérer correctement. Sa condition physique et psychologique se détériore. Isolée, Lily se sent fatiguée, épuisée aussi. Il ne lui vient même plus à l'idée qu'elle pourrait penser à elle. Toute sa vie consiste à réparer les pots cassés. Elle est complètement décentrée d'elle-même.

L'impuissance

Dans l'exemple précédent, Lily manifeste des signes d'impuissance à limiter les dégâts causés par son conjoint. Il est possible de comprendre l'impuissance de Lily à partir d'une expérience classique en psychologie, soit celle d'un chien captif à qui l'on administre de petits chocs électriques. D'abord, on enferme le chien dans une cage. Ensuite, avant l'émission de chacun des chocs électriques en provenance du sol, on attire l'attention du chien à l'aide d'une lumière vive. Avec l'apprentissage, le chien associe la lumière au choc et il saute dès qu'il aperçoit le scintillement de cette lumière, ce qui lui permet d'éviter le choc. Il apprend à se défendre parce qu'il possède l'information correcte : après la lumière vient le choc. Le chien développe une efficacité à faire face au danger, il n'est pas impuissant devant la menace.

Mais qu'arriverait-il si les expérimentateurs envoyaient des signaux lumineux au hasard, sans lien avec l'arrivée des chocs ? Le chien ne parviendrait simplement plus à prévoir leur arrivée. Il sauterait n'importe quand puisque la lumière ne serait plus un moyen valable de prédiction. À la longue, et à force de recevoir les décharges électriques, il cesserait de sauter, il se coucherait, résigné en attendant le prochain choc. Il développerait ce qu'on appelle en psychologie de la *résignation acquise*. Même son faciès présenterait des signes de dépression ! Cet exemple illustre bien que l'impuissance naît de l'incapacité à prévoir ce qui s'en vient, à regagner du contrôle en agissant de manière à se protéger.

Le proche d'un joueur en perte de contrôle est soumis à des menaces qu'il ne peut prévoir ni éviter. Dans quel pétrin le joueur se dirige-t-il ? Quel mensonge a-t-il inventé pour éteindre la lumière sur son comportement de jeu ? De quelle manipulation usera-t-il pour gagner du temps ? Volontairement tenu dans l'ombre par le joueur, il se heurte à ses retours au jeu et à leurs conséquences.

Le proche qui persiste à vouloir contrôler le joueur verra son sentiment d'impuissance monter en flèche. Il se peut aussi qu'il désespère de trouver une solution et qu'il s'immobilise en raison d'une forte humeur dépressive.

La dépression

Durant la phase d'épuisement, le proche risque fort de faire une dépression, surtout s'il est complètement décentré de ses propres besoins. Il ne s'agit pas là d'un signe de faiblesse de l'esprit. En ne vivant que pour l'autre, en niant ses propres besoins, le proche s'est épuisé. Comme le joueur, il a perdu le contrôle de sa vie. Tel un ballon dont on a retiré l'air, il se sent vidé de son énergie ; plus rien n'arrive à le motiver, à le faire rebondir. Les idées noires l'envahissent. Or, il ne peut espérer vivre en équilibre s'il se sent découragé face à lui-même, à son avenir ou aux autres. Il doit demander de l'aide ; avec le soutien d'une tierce personne, il pourra plus facilement retrouver l'espoir.

La dépression se manifeste par plusieurs signes ou symptômes dont les principaux sont énumérés ci-après. La présence de cinq de ces symptômes durant deux semaines est une indication probable de dépression. Par prudence, tout proche qui manifeste au moins un de ces symptômes devrait consulter son médecin de famille. Ce dernier sera en mesure de poser un diagnostic adéquat et de lui venir en aide, le cas échéant. Cette démarche est essentielle puisqu'il faut traiter la dépression avant même de penser régler toute autre difficulté. Voici donc ses principales manifestations :

- *Humeur dépressive :* la personne déprimée se sent triste ou vide. Un petit rien l'attriste, la fait pleurer. L'humeur dépressive reflète un changement chez cette personne, elle n'est donc pas installée depuis plusieurs années. En général, cette humeur découle d'une série de coups durs et d'une façon pessimiste d'entrevoir la vie. Un discours intérieur erroné (nous y reviendrons plus loin) agit sur les émotions de la personne comme le fait une goutte d'encre dans un verre d'eau : toute l'eau s'assombrit et se brouille en un instant. La vie est devenue lourde à porter et le temps semble s'éterniser.

- *Diminution de l'intérêt et du plaisir :* la personne ne ressent plus de curiosité ni même d'envie pour quoi que ce soit. Sa capacité à ressentir de la joie fait place au pessimisme. Elle entretient des pensées défaitistes concernant ce qu'elle pourrait faire. Sa motivation, qui la poussait auparavant vers l'action, a maintenant disparu. La personne a donc tendance à agir en spectateur de sa vie et non en acteur. Elle s'isole des autres, décline leurs invitations, convaincue qu'elle n'en retirera rien de positif.

- *Variation de l'appétit et du poids :* la personne déprimée maigrit en l'absence d'un régime ; son appétit diminue de façon notable. L'inverse peut aussi se produire : la personne sent davantage sa faim, mange beaucoup plus que d'habitude et prend du poids. Les variations de poids et les changements dans les habitudes alimentaires indiquent parfois une humeur dépressive.

- *Sommeil perturbé :* la personne déprimée dort mal, fait de l'insomnie ou dort trop. Elle met davantage de temps à s'endormir et ne jouit pas d'un sommeil réparateur. Le matin, elle se réveille beaucoup plus tôt qu'à l'habitude ; cette perturbation du réveil matinal est un bon indice d'une humeur dépressive. L'insomnie dépend en grande partie des pensées dramatiques ou catastrophiques que la personne entretient et des mauvaises habitudes qu'elle prend pour en venir à bout. Tout comme les variations de poids, l'insomnie constitue un important indice de dépression.

- *Agitation ou lenteur des comportements :* la personne déprimée est brusque, rapide dans ses mouvements ou, à l'inverse, lente à agir. Cette nouvelle façon d'agir est évidente et les autres la remarquent facilement. Lors d'une dépression, la chimie du cerveau se modifie ; notamment, le niveau de dopamine, une substance libérée par le système nerveux et indispensable au bon fonctionnement du cerveau, est plus bas que la normale. Résultat : la personne déprimée ne se comporte pas comme d'habitude.

- *Fatigue et perte d'énergie :* la personne déprimée se sent vide et n'arrive pas à refaire le plein d'énergie. Un rien la fatigue. Elle se sent lourde et entrevoit mal la possibilité de faire une activité ; d'ailleurs, elle n'en a pas la force. Tout lui semble maintenant trop exigeant. Par conséquent, elle se retire et s'isole davantage. Son mot d'ordre : ne rien faire.

- *Sentiment de culpabilité excessive :* la personne déprimée se sent dévalorisée. Ses pensées à l'égard d'elle-même sont négatives et la poussent à se sentir coupable de tout. En niant la part de responsabilité des autres, elle accepte d'emblée tous les torts. Ses pensées négatives peuvent la porter à croire qu'elle n'est pas aimable ni suffisamment aimante. Elle se sent profondément « défectueuse », comme si quelque chose en elle la rendait inapte à vivre en équilibre dans ce monde.

- *Manque de concentration :* la personne déprimée a une certaine difficulté à penser, à se décider. Les événements ne s'inscrivent pas dans sa mémoire. Durant un épisode dépressif, il n'est pas rare qu'une personne soit incapable de lire les romans qui autrefois la passionnaient. Elle a beau relire chaque phrase, son sens lui échappe plus souvent qu'autrement. Ce manque de concentration rend difficile toute prise de décision. La personne déprimée est ambivalente à propos de tout et préfère, dans cette condition, ne pas prendre de décision (ce qui, paradoxalement, est une décision).

- *Pensées de mort et de suicide :* certaines personnes déprimées pensent à s'enlever la vie, la dépression n'étant ni plus ni moins qu'une perte d'espoir en soi, en autrui et en l'avenir. Elles sont envahies par des idées sombres et peuvent ressentir rapidement un profond sentiment de désespoir. Comme elles vivent une grande détresse à laquelle elles ne voient pas de fin, elles considèrent parfois le suicide comme seule porte de sortie. En réalité, ces personnes ne désirent pas mourir, elles souhaitent apaiser leur douleur, leur mal de vivre.

Ainsi, le proche déprimé perçoit d'une façon négative sa propre personnalité, son avenir et les autres. Malheureusement, il n'a pas conscience qu'il s'agit là d'une *perception*. Il est si fatigué que ses pensées négatives prennent le dessus. Elles surgissent automatiquement dans son esprit et font partie de son quotidien. Plus un proche se sent épuisé, plus il risque d'avoir des idées pessimistes qui se nourrissent d'elles-mêmes.

Donc, à la phase d'épuisement, le proche se dévalorise par un discours intérieur erroné, peu élogieux et fort nocif. Il en arrive à penser qu'il a échoué à maîtriser le joueur, qu'il n'a pas été en mesure de régler son problème de jeu. Et puisqu'il n'a pas su l'arracher des griffes du jeu, il s'imagine qu'il mérite ce qui lui arrive et glane tous les indices qui lui confirment son échec. Il mettra même de côté ses réussites.

Pour être conséquent avec ses pensées automatiques, le proche s'invente un futur où l'échec est inévitable et le bonheur, inaccessible. En pareil cas, il se convainc presque de la permanence de sa situation actuelle. Il n'entrevoit plus de solutions possibles. Il désespère à l'idée que rien ne puisse s'améliorer, que tout ira en s'aggravant.

Comme si cela ne suffisait pas, le proche ressent souvent l'éloignement des gens en qui il a le plus confiance. En réalité, il a honte et il n'espère plus d'aide de leur part. Il suppose alors être entouré de gens égoïstes, désintéressés de sa situation. Pire, sans estime de soi, il croit simplement ne pas mériter leur amour. Mais le proche n'entre pas dans une phase d'épuisement sans raison : la rage qu'il entretient à l'endroit du joueur brûle beaucoup de son énergie.

La rage

Sans dire que le joueur est un monstre, admettons qu'il se comporte à l'occasion comme tel aux yeux de son entourage. On comprend le proche d'avoir parfois peu de sympathie à son égard !

À cette étape, comme le proche est conscient que l'autre manipule et ment pour saboter toute tentative visant à contrôler ses habitudes, il a une image négative de la personnalité du joueur. Il lui arrive même de le mépriser. Rarement est-il témoin de la souffrance véritable du joueur. Le proche voit plutôt que ce dernier blâme les autres en se gardant à mille lieues de découvrir sa responsabilité. Il lui est donc difficile d'entretenir des pensées positives à son égard. Il ressent une grande colère et l'exprime par des cris ou des silences. Toute cette situation lui est désormais devenue trop injuste : la rage a gagné son cœur.

Alors que le proche est de plus en plus fatigué, qu'il éponge encore les dettes, qu'il tente par tous les moyens de maintenir le bateau familial à flot, le joueur ne se gêne pas pour être dur envers lui. Il lui dira des paroles comme : « Je ne t'oblige pas à m'aider », « Si tu n'étais pas aussi superficielle, tout irait bien », « C'est toi le problème ! » Comme le proche est très vulnérable lors de la phase d'épuisement, ce discours accentue sa détresse et sa colère. Doit-on s'étonner qu'il trouve injuste d'être dépossédé de sa sécurité matérielle et blâmé de surcroît ?

Ainsi, il n'est pas rare qu'un joueur fasse la pluie et le beau temps, qu'il ne considère pas du tout les émotions de ses proches. Quant à leurs symptômes physiques, il ne s'y attarde pas davantage. D'habitude, plus une personne est dépendante d'une activité, plus elle se centre sur elle-même. Son *moi* l'obsède et la porte à ignorer les autres. Dans bien des cas, le joueur impose la dictature des jeux à son entourage. Il n'a qu'une obsession, celle de jouer et de « se refaire ». Rien d'autre ne l'intéresse et rien ne peut l'empêcher d'accéder à l'objet de sa fuite. Il transgresse presque toutes les règles, même celles qu'il valorisait auparavant. Et ce renversement des valeurs influe grandement sur l'incompréhension et la colère du proche. Il lui est difficile en effet de comprendre que le joueur ne considère pas davantage sa souffrance, qu'il joue malgré son épuisement, et cela l'enrage.

L'impuissance et la rage du proche aggravent son désespoir. Sa vulnérabilité psychologique déteint sur ses décisions et bloque sa capacité d'agir. Le proche est de plus en plus épuisé ; il est, comme le joueur, sous l'emprise d'émotions qu'il ne maîtrise plus. Par malheur, il met du temps à admettre que la décision ultime de jouer ne relève que du joueur : *seul le joueur possède la capacité de dire non au jeu*. Cette décision de jouer, le joueur se l'approprie, et cela, sans égard à son entourage. Le proche, de son côté, absorbe les coups durs et fulmine contre lui ; les émotions fortes qu'il ressent le grugent intérieurement jusqu'à ce qu'il atteigne le fond de la phase d'épuisement.

Cependant, ce que le proche ne voit pas tout de suite, c'est qu'il rebondira, qu'il y a de l'espoir. Le proche qui reconnaît la phase où il se situe peut choisir les solutions appropriées à sa situation. Il a la capacité de reprendre la maîtrise de sa vie, et ce, peu importe l'étape où il est. Mais il faut pour cela qu'il respecte sa propre dynamique, ses propres besoins.

Avant d'aborder les moyens et les attitudes qui favorisent la résolution de problèmes, voyons plus en détail la dynamique du joueur en perte de contrôle. Le fait de comprendre ce qui se passe dans la tête du joueur excessif et d'explorer sa double vie aidera le proche à retrouver son équilibre.

2

Comprendre
la double vie du joueur

Plaisirs, excentricités ou problèmes, les jeux de hasard et d'argent procurent une foule de sensations. Ils attirent des jeunes, des vieux, des riches, des pauvres, des rationnels, des intuitifs, des savants, des athlètes, des artistes, des novices et des soi-disant *pros*! Parmi eux, certains ont perdu la maîtrise de leurs habitudes de jeu. Ces joueurs convaincus de gagner risquent pourtant de perdre leur estime de soi, leur famille, leur travail, leurs amis, bref tout ce qu'ils ont de plus précieux. Leur double vie désorganise leur entourage, qui va parfois jusqu'à l'épuisement. Mais l'épuisement n'est pas une fatalité. En effet, le proche qui possède une bonne connaissance de sa propre dynamique et de celle du joueur peut établir un plan de résolution des problèmes efficace. Il peut se réapproprier le contrôle de sa destinée.

En lisant les pages qui suivent, le proche comprendra davantage la double vie du joueur en perte de contrôle. Il aura une vue d'ensemble de sa souffrance, de ses tourments et des pensées erronées qui le poussent à parier contre toute logique. Il saisira pourquoi le joueur bascule dans un univers où il se voit déjà gagnant, comment il en est arrivé là et quelles phases il risque de traverser.

Rappelons que les émotions d'un joueur, comme celles d'un proche, sont liées à son discours intérieur. De fait, les pensées erronées du joueur à l'égard du hasard entraînent sa passion destructrice. Mais en quoi ces pensées sont-elles erronées ou illusoires? C'est ce que nous aidera à saisir Simon, le conjoint de Lily, qui a accepté de partager ses idées secrètes. Son histoire permettra à certains proches d'établir des liens avec leur propre vie. Elle illustrera également les trois phases que traversent d'habitude les joueurs en perte de contrôle : la phase des gains, celle des pertes et celle du désespoir.

> **ATTENTION !**
> La plupart des joueurs excessifs traversent les trois phases présentées dans les pages qui suivent. Cependant, comme chaque joueur est unique, certains parcourent une trajectoire différente.

LES TROIS PHASES DU JEU EXCESSIF : GAINS, PERTES, DÉSESPOIR

L'exploration des phases que traverse un joueur qui ne reconnaît pas son problème de jeu permet de cerner les dessous de sa perte de contrôle. La première phase, celle des gains, met en lumière l'impact d'un gain sur les idées erronées du joueur. Après un gain significatif, le joueur acquiert une conviction basée sur de fausses croyances : il est certain qu'il va gagner de nouveau. Malheureusement, comme personne ne peut déjouer le hasard, à force d'augmenter les mises, il subit des pertes. Sa conviction inébranlable qu'il va bientôt gagner le pousse toutefois à multiplier ses retours au jeu. Le joueur perd alors de plus en plus le contrôle. Une seule idée l'obsède désormais : se refaire, c'est-à-dire regagner l'argent perdu. À la phase des pertes, la double vie du joueur s'enracine. Le joueur oscille continuellement entre un état « à froid » (rationnel) et un état « à chaud » (émotif). Lorsqu'il est « à chaud », tout son univers mental bascule du côté du rêve, du plaisir ou de l'apaisement. Toutefois, avec le temps, le désespoir le gagne et anéantit tout apaisement apporté momentanément par le jeu. Cette phase de désespoir ressemble à la phase d'épuisement que traversent bien des proches.

LES TROIS PHASES DU JEU EXCESSIF

Voyons plus en détail chacune de ces phases.

LA PHASE DES GAINS

Lorsqu'on examine le parcours d'un joueur excessif, on constate habituellement la présence d'un gain signifiant lors des premières expériences de jeu. Si on questionne le joueur sur l'évolution de son problème, il affirmera avoir vécu une période de chance plus ou moins longue.

L'arrivée d'un gain dans le parcours d'un joueur excessif lui fait miroiter l'idée qu'il est particulièrement habile ou plus chanceux que les autres. Il se crée alors de fausses idées quant à son habileté à déjouer, voire à maîtriser le hasard. Son optimisme n'a d'égal que l'excitation qu'il vient de vivre. Par la suite, il lui sera difficile de se départir de cette conviction de gagner : elle sera au cœur de sa double vie, double vie qu'il imposera à tout son entourage.

Les propos de Simon, le conjoint de Lily, illustrent bien l'importance de la phase des gains dans la formation des idées erronées et la conviction de gagner.

SIMON

Simon invite son collègue de travail à une sortie au casino. Depuis deux ans déjà, il parle de son désir « d'y aller au moins une fois ». Puisque rien n'empêche les deux associés de s'offrir ce petit luxe, ils s'y rendent avec excitation.

Dès leur arrivée, Simon et Christian se sentent comme deux adolescents enfin libres de leurs parents. Le vaste hall d'entrée, les magnifiques toiles sur les murs, l'accueil chaleureux du personnel, les lumières vives et l'ambiance joyeuse ne les laissent pas de glace.

À l'instar des nouveaux joueurs, Simon inspecte tous les coins et recoins du casino. Avant de risquer sa première mise, il invite Christian à sélectionner une machine à sous *inspirante*, celle qui les fera gagner ! C'est donc dans le plaisir et la bonne humeur que s'amorce leur première séance de jeu où le chiffre 7 et les diamants volent la vedette.

Au début, les deux hommes risquent peu d'argent, mais rapidement leurs mises augmentent : Simon et Christian parient le maximum à chaque tour. « Après tout, nous ne sommes pas venus ici pour économiser 50 $ », dit Simon, déjà hypnotisé par la vitesse des rouleaux. Après quelques minutes et plusieurs mises, l'inattendu se produit : un gain appréciable de 1400 $ fait scintiller leur machine à sous. « Victoire ! » crie Simon, sous le choc du gain et la montée d'adrénaline. Les deux collègues excités se partagent le magot sous les regards admiratifs des autres joueurs.

Malgré leur excitation, Simon et Christian prennent la décision de cesser le jeu et de se laisser porter sur leur nuage de gagnants. Une fois seul dans la voiture, sur le chemin de la maison, Simon flotte. Ce gain produit sur lui un impact considérable : il ressent un étonnant bien-être. Étrangement, bien qu'il s'agisse d'un jeu de hasard sans lien avec l'habileté, Simon éprouve de la fierté, comme si ce résultat heureux dépendait de son adresse.

De retour au bercail, le grand gagnant lance fièrement ses 700 $ sur la table en affichant un sourire de conquérant. « Pendant que tu discutais avec les travailleurs sociaux, moi, je bâtissais notre fortune », dit-il à Lily, sourire en coin et pointe d'humour dans la voix. L'ambiance est à la fête, tout le monde est heureux. Merci casino !

Sur le coup, ni Simon ni Lily ne se doutent que ce plaisir mènera à une éventuelle perte de contrôle au jeu. En toute honnêteté, pourquoi se méfier d'un premier gain ? Simon n'est pas pauvre, ce n'est pas comme s'il tenait 700 $ dans ses mains pour la première fois…

Le gain signifiant

Semblable à une roche qui frappe l'eau, un gain lié aux premières expériences de jeu risque de provoquer des remous dans l'entourage du joueur. Le joueur est fier et heureux d'avoir gagné le magot, il n'a aucune raison de le cacher à ses proches. Pourquoi voudrait-il conserver anonyme un plaisir si anodin ? Car enfin, au début, il s'agit d'un plaisir et non d'une menace.

Après un gain, le joueur est d'habitude généreux envers les gens qu'il aime. Il fait des cadeaux : il offre un objet de luxe, une sortie, un voyage ou simplement un montant en argent. Comme personne ne se doute de la place que prendra le jeu dans sa vie, l'entourage, en toute naïveté, considère le gain ou le cadeau comme une occasion de célébrer. Personne ne sait encore à quel point ce gain est important pour le joueur.

Or, un gain signifiant aux premières séances de jeu peut être à l'origine d'une perte de contrôle chez une personne. Et d'autant plus si cette dernière est vulnérable. On entend par « gain signifiant » un montant d'argent qui modifie de façon marquée l'humeur du joueur. Ce montant n'a pas à être élevé ; même un tout petit gain peut être considéré comme signifiant s'il provoque une émotion agréable.

Lorsque le joueur vit quelques gains signifiants, il tente parfois de convaincre son entourage des *petits trucs qui l'avantagent* par rapport au casino ou aux jeux en général. Comme il rapporte de l'argent à la maison, les proches se laissent berner ; certains en viennent même à croire qu'il est possible d'y faire fortune. Et fort de l'argent qu'il gagne ainsi, le joueur se fait de plus en plus convaincant auprès de son entourage. Surtout, il y croit lui-même. Il vit l'euphorie et se met en tête qu'il peut déjouer le hasard, qu'il est plus fort que les jeux. Mais en trouvant refuge dans ses idées erronées, il risque de perdre le contrôle de ses habitudes de jeu.

Les idées erronées

La phase des gains alimente les fausses croyances du joueur ; c'est à ce moment-là qu'elles s'incrustent dans son esprit. Elles amènent le joueur à penser qu'il peut déjouer le jeu et trouver le filon des gains assurés. Mais, loin de lui assurer la maîtrise du hasard, ces pensées erronées l'entraînent vers sa perte de contrôle.

Comme les gains faits à cette période stimulent ses pensées et ses fantaisies orientées vers le jeu, le joueur ressent une impulsion irrépressible à retourner jouer. Lorsque cette impulsion monte en lui, toutes ses pensées le poussent vers un unique but, son jeu préféré. « Plus forte que lui », selon son dire, cette poussée intérieure est accompagnée d'idées opposées à celles qu'il entretient lorsqu'il ne pense pas au jeu : en un éclair, le joueur bascule vers un mode de pensée teinté d'illusions. Ces illusions sont d'une telle force qu'elles anéantissent ses meilleures intentions. Cette bascule d'un mode de pensée vers un autre est caractéristique des joueurs en perte de contrôle.

Ce qui surprend chez un joueur excessif, c'est la transformation presque immédiate de sa façon de penser et d'agir dès qu'il ressent le goût de jouer. Lorsque le joueur bascule du côté des illusions, c'est toute sa personnalité qui change. Son échelle de valeurs se transforme également : subitement envahi par de nouvelles convictions, le joueur n'hésite pas à mentir pour satisfaire sa passion. Il ment à son entourage, mais davantage à lui-même. Prisonnier des illusions qui le bercent, il devient peu à peu méconnaissable aux yeux de ses proches. Mais comment comprendre qu'une personne intelligente entretienne autant d'idées erronées à l'égard des jeux de hasard et d'argent ?

Pour bien concevoir les idées erronées du joueur, examinons quelques informations de base sur les jeux. Dans l'expression « jeux de hasard et d'argent », tout le monde comprend la notion d'argent ! Le hasard, lui, est un concept moins bien connu. La plupart des joueurs espèrent contrôler le hasard, le dominer. Pourtant, la caractéristique fondamentale du hasard est d'échapper aux prédictions et au contrôle. En d'autres mots, le hasard est, par nature, imprévisible. Par exemple, la personne qui affirme avoir trouvé par hasard un billet de vingt dollars sur le trottoir signifie par là qu'elle ignorait que cela allait lui arriver, qu'elle ne pouvait pas le prévoir.

Dans le contexte des jeux de hasard et d'argent, il est donc impossible pour un joueur de « vaincre le hasard ». Même en s'exerçant, en observant le jeu, en étudiant les statistiques, il ne peut jamais prédire l'issu de tels jeux. Or, le joueur en perte de contrôle n'accepte pas le côté imprévisible du hasard. Il refuse l'idée selon laquelle il est impuissant à le dominer. Et puis, il se rappelle avoir déjà gagné, parfois à quelques reprises ! Son expérience passée *confirme* qu'il peut reproduire ce gain.

La phase des gains alimente les espoirs du joueur. Elle l'encourage à exceller, à s'améliorer. Cependant, les jeux de hasard et d'argent ne sont pas des jeux où l'habileté occupe un rôle important. En prenant l'exemple du lancer d'un dé, il est facile de se rendre compte qu'un joueur ne peut jamais prévoir le résultat. Il peut bien noter et observer les résultats des lancers précédents autant qu'il le veut, jamais il n'améliorera ses prédictions. Jamais non plus il n'augmentera ses chances de gagner. Comme tous les jeux de hasard et d'argent, le dé souffre en quelque sorte de la maladie d'Alzheimer : il n'a pas de mémoire. Il ne tient pas de registre des probabilités, comme le fait un joueur pour déterminer quand le 3, par exemple, doit sortir. À chaque lancer du dé, tous les côtés ont la même probabilité de sortir : une chance sur six. Peu importent les résultats des tours précédents, le joueur se retrouve chaque fois sans indice quant au résultat du prochain lancer. Les spécialistes des jeux parlent de ce phénomène d'imprévisibilité comme relevant de l'indépendance des tours : à un jeu de hasard, une partie ne peut jamais servir à prédire la suivante. Chaque partie est unique et définitive en soi. Chaque partie est indépendante de la suivante. Elle ne peut donc jamais servir de repère pour le pari suivant. Bref, le hasard se joue des prédictions.

Les jeux de hasard et d'argent représentent à leur façon une version plus complexe du lancer d'un dé. Leur apparente complexité ne vise qu'à camoufler le hasard. L'apparence de ces jeux incite le joueur à s'améliorer comme s'il s'adonnait à un jeu d'adresse. Or, redisons-le, les jeux de hasard ne sont jamais de véritables jeux d'adresse. Personne n'y développe d'habiletés ou de talents particuliers, du moins suffisamment pour espérer gagner à long terme. Cela est vrai pour les jeux de dés, les machines à sous, les appareils de loteries vidéo, les billets de loterie, les jeux de table dans les casinos, les courses de chevaux, et les autres.

Malheureusement, durant la phase des gains, il se produit parfois des coïncidences qui portent le joueur à faire des liens entre des événements pourtant indépendants et à penser qu'il a un don spécial pour déjouer le hasard. Par exemple, s'il gagne deux gros lots consécutifs, il peut en venir à croire qu'il sera assez habile pour faire un autre gain au prochain tour. Et comme il arrive, par pure coïncidence, qu'il gagne au moment où il l'a *prédit*, le joueur se convainc qu'il est capable de prédire l'arrivée d'un gain ou de le provoquer. Par exemple, s'il gagne au moment de changer sa façon de miser, le joueur pourra croire que ce gain découle de sa nouvelle stratégie. Il tentera par la suite d'améliorer sa façon de miser en variant parfois le montant des mises. Il développe ainsi peu à peu ses illusions, des illusions de contrôle, diront les spécialistes du domaine de la psychologie des jeux.

Une période de gains consécutifs, tout comme un gain unique, relève uniquement du hasard. Mais si tous ces jeux relèvent du hasard, en quoi un gain peut-il expliquer l'enracinement des idées erronées du joueur ? C'est que, pour le joueur, le jeu prend une tout autre dimension. Par exemple, quelle idée erronée risque de germer dans la tête d'un joueur de machine à sous qui gagne dès qu'il change de main pour presser le bouton « Jouer » ? L'idée suivante : la coïncidence entre le geste de changer de main et le gain est une stratégie permettant de déjouer la machine à sous. Les coïncidences ancrent les idées fausses dans la tête du joueur. Voici d'autres exemples :

- « Comme j'ai gagné un mercredi, les mercredis sont chanceux pour moi. »
- « Il me suffit de parier avec de plus grosses sommes d'argent pour mettre la chance de mon côté. »
- « Quand je me sens bien, que je n'ai pas besoin de gagner, que je joue pour m'amuser, je gagne plus souvent. »
- « Lorsque je perds plusieurs fois, c'est inévitable, je gagne par la suite. »

Les joueurs ont davantage d'idées fausses que de croyances réalistes lorsqu'ils sont en train de jouer. Le problème avec les jeux de hasard et d'argent, c'est que le joueur se sert de son intelligence

et de ses observations pour tenter de s'améliorer. Il essaie active-
ment d'arracher le gros lot. Il observe, calcule et fait des prédictions
même si les jeux de hasard ne requièrent pas vraiment d'intelligence. Au mieux, ces jeux requièrent du joueur quelques notions
de base lui permettant, parfois, de réduire ses pertes, mais elles ne
lui assurent jamais de gain.

Les jeux de société, eux, demandent une certaine intelligence
et un bon sens de l'observation à quiconque aspire à gagner ; les
échecs sont un bon exemple de jeu basé sur la stratégie et l'adresse.
Les jeux de société, pour la plupart, ne sont pas des jeux de hasard
à proprement parler. Contrairement à ces derniers, il est possible
de s'y améliorer ; plus un joueur joue et se sert de son intelligence,
plus il s'améliore. C'est pourquoi un bon joueur d'échecs peut
gagner souvent.

À l'inverse, il n'existe pas de « bons joueurs » de jeux de hasard
et d'argent. Malheureusement, plus un joueur assume un rôle actif
pendant qu'il joue, plus il risque de développer des illusions de
contrôle. Par exemple, le joueur qui lance lui-même le dé peut croire
qu'il est habile et qu'il a plus de chances de gagner. Il se sent *en
contrôle* devant le hasard. Mais, répétons-le, on ne peut jamais
contrôler le hasard. Choisir une date de fête comme chiffre chanceux est un autre exemple d'illusion. En fait, il y a autant d'illusions
de contrôle que d'espèces de moustiques sur terre : elles piquent
l'attention de tous les joueurs ! Pas étonnant que ces jeux tendent
de plus en plus à rendre le joueur actif, à le faire entrer en inter-
action avec eux. Pour amuser les joueurs et les intéresser, ils offrent
ce type d'illusions. Sans quoi, aucun joueur ne s'y intéresserait.

Et qu'en est-il des superstitions ? Bien sûr, des superstitions,
nous en avons tous. La différence, c'est que, pour le joueur, elles
tiennent lieu d'illusions de contrôle. Le joueur qui croit que la photo
de ses enfants augmente ses chances de gagner n'ira jamais jouer
sans elle. Il se fait prisonnier de sa superstition. Avec le temps, puisqu'il est impuissant devant le hasard, il peut même créer toute une
chaîne superstitieuse. Il désire ainsi *mettre toutes les chances de son
côté*. Par exemple, il s'obligera à manger un morceau de chocolat

avant d'aller jouer le soir ; il n'ira jouer que les soirs où il sent de
« bonnes vibrations » ; il s'efforcera de franchir la porte du casino
de son pied droit… Les superstitions sont aussi répandues que les
espèces de fleurs. Elles se perpétuent d'elles-mêmes.

Et Simon, lui, a-t-il acquis quelque illusion de contrôle ? Poursuivons son histoire.

SIMON

Christian parle tout bonnement à Simon d'une cousine
qui aurait remporté un lot important à la loterie. En une
fraction de seconde, le discours intérieur de Simon bascule. Du coup, ce n'est pas la gagnante que ses pensées
évoquent, mais sa propre expérience. Il revoit le gain de
1 400 $ fait en compagnie de Christian. Plus exactement,
il ressent l'émotion de plaisir associée à ce gain signifiant. Violent, son désir pour le jeu le domine. Convaincu
qu'une émotion si forte ne peut qu'être un bon présage,
il part du bureau en prétextant un mal de tête. Il préfère
cependant que Christian n'inquiète pas Lily, qu'il ne lui
parle pas de sa migraine. Un peu de repos suffira…

Aujourd'hui est effectivement jour de chance pour
Simon. Les petits lots s'accumulent pour son plus grand
bonheur. « Décidément, cette machine à sous est faite
pour moi ! » pense-t-il, convaincu de sa bonne étoile, de
la justesse de ses intuitions, du choix judicieux de sa
machine à sous et de son excellente décision d'être parti
du bureau. Et si le prétexte des maux de tête était chanceux ?

La conviction de gagner

Terrain fertile au développement des idées erronées, la phase des
gains renforce l'intensité de la conviction de gagner. Étrangement,
l'émotion ressentie se compare alors en intensité à celle vécue par
une victime d'un accident de la route. Tout accident routier est inat-
tendu mais, surtout, très marquant en raison des émotions de peur

dont il imprègne la victime. L'accidenté revivra longtemps en pensées son impact et tout ce qui aurait pu en découler de grave. Tout signe anodin de cet accident ravivera sa souffrance, sa peur. À sa façon, le joueur a vécu l'«accident» d'un gain signifiant. Tout ce qui lui rappelle la situation de gain provoque une bascule de ses pensées vers une zone de plaisir. Par exemple, le fait d'entendre parler d'une gagnante a provoqué en Simon une obsession de jouer. Ce déclencheur a ravivé ses souvenirs en le poussant vers le jeu. Malheureusement pour lui, sa première séance de jeux lui a apporté un grand gain et, surtout, le germe de la conviction qu'il pouvait gagner. Au fil du temps, cette conviction grandira.

En réalité, le joueur tient un double discours. Lorsqu'il est «à froid», c'est-à-dire lorsqu'il n'est pas dans l'émotion du jeu, il peut parler d'une façon rationnelle des jeux de hasard et d'argent. Il sait que les probabilités de gagner sont contre lui et qu'il devrait s'attendre à perdre avec le temps. Il peut même, à certaines occasions, discourir correctement sur le hasard, sur les futilités des trucs ou des stratégies. Ses connaissances concernant l'indépendance des tours, les illusions de contrôle et les superstitions sont souvent appropriées lorsqu'il est dans cet état.

En revanche, par un phénomène encore mal compris, sa pensée bascule en une fraction de seconde lorsqu'il est «à chaud», c'est-à-dire quand il est émotif et qu'il s'imagine des scénarios heureux où il gagne. Il revit intérieurement les gains passés et se projette dans un futur chanceux. Dans cet état, le joueur *sait* qu'il va gagner, et cette conviction le ramène sans cesse vers les jeux, l'entraînant toujours plus avant vers la phase des pertes.

La bascule soudaine des pensées du joueur d'un état rationnel vers un état émotif explique ses changements inattendus de comportements. Toute conviction influence les comportements d'un individu; par exemple, une personne convaincue qu'elle gagnera son ciel en priant chaque jour se sentira inexorablement poussée à prier. De la même façon, la conviction de gagner pousse le joueur vers le jeu dès qu'il ressent une impulsion à jouer. Comme tout être humain, il se comporte de façon cohérente avec ses convictions. Et comme sa conviction de gagner est intense, il n'hésitera pas à user de stratégies fourbes pour accéder au jeu. Dès qu'un joueur en perte de contrôle ressent l'impulsion du jeu, il entrevoit le hasard et ses jeux comme une réponse appropriée à ses besoins les plus profonds. Le gain qu'il espère tant n'est pas que financier, il est aussi de nature émotive.

Ainsi, bien que le joueur fasse preuve d'une logique et d'un discours rationnel lorsqu'il est « à froid », il n'entrevoit que des scénarios gagnants où règne le plaisir lorsqu'il est « à chaud ». Il peut, par exemple, s'imaginer qu'il sera en mesure de se contrôler, qu'il ne pariera qu'un petit montant. Il s'imagine déjà offrir un cadeau à sa conjointe ou rembourser un ami avec le gain qu'il fera. Bref, au moment de planifier sa séance de jeu, il ressent déjà le plaisir qu'il en retirera. Il se voit riche d'argent ou d'émotions qui lui font présentement défaut. Sa conviction de gagner sur toute la ligne est telle que rien ne le retient d'aller jouer.

Cette conviction forme la base de sa résistance à changer et motive sa double vie. Même lorsque ses pertes d'argent surpassent ses gains, le joueur se laisse charmer par cette croyance. Il bascule toujours et encore de son côté. Il ne lui résiste pas. Sa perte de contrôle au jeu dépend de cette incapacité à résister à son impulsion de jouer. Cette impuissance lui occasionnera plus tard beaucoup de souffrance, mais, à la phase des gains, le joueur n'en souffre pas. Au contraire, il reste obnubilé par ses récents gains au jeu même s'il perd de plus en plus. Qui plus est, ses idées erronées augmentent et s'intensifient.

On s'en doute, le joueur ne se vante pas de ses pertes à son entourage ; comme elles augmentent, il se résout à ne plus mentionner même ses séances de jeu ou, du moins, il en minimise la portée négative. Il fait comme s'il s'était retiré de cet univers ou comme s'il n'y vouait plus d'intérêt et il ment quant à ses habitudes de jeu.

Mais la phase des gains a bel et bien pris fin. Le joueur veut alors regagner l'argent qu'il a perdu. Il tente par tous les moyens de se refaire et mène une double vie. Hélas, il s'enfonce inexorablement dans la phase des pertes où il restera un bon moment. Il perd de plus en plus le contrôle, tout comme Simon.

SIMON

Simon aime l'émotion de surprise que provoquent en lui les machines à sous et il adore celle qu'il ressent à la roulette. Aussi retourne-t-il vers ces jeux en y ajoutant de la concentration, de la conviction. La valeur symbolique du jeu gagne du terrain dans son cœur. Alors que les machines à sous l'excitent, la roulette lui fournit l'occasion de mettre son habileté à rude épreuve, du moins le croit-il.

Bien qu'il éprouve à l'occasion certains revers de fortune, Simon n'en demeure pas moins persuadé qu'il possède une clé vers le succès et le bien-être. Dès lors, poursuivant son filon en solitaire, il cache désormais ses allées et venues au casino. Après tout, se dit-il, « Lily sera bien contente de profiter de mes gains, le moment venu. Pour l'instant, il ne sert à rien de l'inquiéter avec mes petites pertes d'argent. »

LA PHASE DES PERTES

Durant la deuxième phase, le joueur augmente ses mises, mais sans jamais « se refaire ». L'argent s'envole donc à un rythme fou. Comme cette réalité s'oppose à sa conviction de gagner, le joueur la refuse. Sa perte de contrôle au jeu n'a alors d'égal que son refus de perdre. Le joueur veut absolument gagner ! Il doit cependant dénicher l'argent, qui se fait rare, et cela stimule sa double vie. Graduellement, il se fait aspirer par la phase des pertes et devient prisonnier d'un cercle vicieux : il est convaincu qu'il va se refaire et, pour cela, il doit jouer davantage.

À la phase des pertes, le joueur se préoccupe beaucoup du jeu et veut à tout prix revivre l'excitation des gains. Or, la réalité des jeux est tout autre : plus le joueur s'entête, plus il perd. Malheureusement, il ne s'enfonce pas seul : il entraîne dans son sillage bien des gens qu'il aime. Mais comme il est persuadé que cette période de malchance n'est que temporaire – après tout, il a déjà gagné! –, il continue à jouer.

Au fil des semaines, ses problèmes financiers et relationnels s'accumulent et font naître en lui de la honte, mais aussi de la peur. Paradoxalement, au lieu de se rendre à l'évidence et de s'avouer vaincu, il redouble d'ardeur et provoque d'autres pertes. Et il perdra ainsi davantage.

Mais pourquoi le joueur doit s'attendre à perdre avec le temps? Qu'est-ce que cette «espérance négative de gain»?

L'espérance négative de gain

Tous les jeux de hasard et d'argent sont construits de façon que chaque joueur doive s'attendre à perdre à long terme. C'est bien normal: le jeu est une industrie et, comme toute industrie, elle doit faire des profits. L'avantage est forcément de son côté. Chaque jeu est donc conçu suivant une logique mathématique défavorable au joueur. Aucun joueur ne peut échapper à ce qu'il est convenu d'appeler l'«espérance négative de gain»; autrement dit, à long terme, tout joueur doit s'attendre à perdre. Or, le joueur en perte de contrôle entretient des idées erronées qui le poussent à croire, à tort, qu'il peut inverser la vapeur et ramener les probabilités de gain de son côté.

L'espérance négative de gain explique l'inévitable phase des pertes. C'est une loi incontournable, invincible; nous le répétons: le joueur doit s'attendre à perdre à long terme. Et plus il risque en augmentant le montant de ses mises, plus il doit s'attendre à perdre davantage. Le joueur qui s'obstine à vouloir se refaire, comme le chien courant après sa propre queue, n'y arrive généralement pas. Étourdi, il maintiendra cependant ce rythme tant qu'il pourra se réfugier dans une double vie.

La double vie

À la phase des pertes, le joueur s'enlise dans de multiples difficultés. Le besoin de récupérer l'argent perdu le hante. Le jeu l'obsède. Son changement d'attitude vis-à-vis de ses proches est notable: il est de plus en plus solitaire, taciturne, songeur et absent. Ses proches constatent bien qu'il change, mais ils ne savent pas à quoi attribuer ce changement. Ils ignorent que les pertes massives confinent le joueur dans une double vie : d'un côté, il maintient ses habitudes quotidiennes sans trop de difficulté ; de l'autre, il joue en cachette. Accablé par les pertes, il se sent tourmenté et ment à ceux qu'il aime.

Par malheur, les déboires financiers du joueur ne diminuent pas sa conviction de gagner. Chaque fois, il entrevoit le gain avec certitude. « À chaud », il est très émotif et oublie la logique du hasard. À sa grande honte, lorsqu'il est dans cet état, il valorise davantage sa relation au jeu que celle qui le lie à son entourage. Il ne voit même pas qu'il met en péril les relations importantes de sa vie. Quand il est « à chaud », sa relation privilégiée avec le jeu comble son vide intérieur. Ses espoirs de se refaire lui suffisent. Mais pour combien de temps ?

Pour l'instant, poursuivons l'histoire de Simon.

SIMON

Pas de veine, Simon ne peut parier ce soir, car Lily a une réunion et lui confie leurs deux enfants. Mécontent, Simon se pose en victime de ses propres enfants et se soumet à sa tâche de parent sans motivation. « À froid » et dans l'impossibilité d'aller jouer, il se dit que, de toute façon, « aucun soir n'est plus chanceux qu'un autre ».

Mais à la simple vue d'une publicité télévisuelle de loterie, Simon déborde d'une folle envie de jouer. Cette image de gens heureux le frappe comme une vague en mer heurte le dos d'un baigneur distrait. Obsédé par cette sensation, Simon couche les enfants, puis, sans même attendre qu'ils s'endorment, il se met en route vers le casino. « À chaud », sûr de lui, Simon jure qu'il ne jouera qu'une toute petite demi-heure et qu'avec l'argent gagné il remboursera Christian. Il « peut bien risquer un petit 100 $! ».

En route vers le casino, il ne pense déjà plus à ses enfants. Il passe plutôt en revue son plan de match pour la soirée et espère que Lily n'entrera pas trop tôt. Simon est convaincu de gagner : « Décidément, ce soir sera un grand soir. Je le sens ! » Par malheur, il perd tout.

La perte de contrôle

À la phase des pertes, le joueur fait de plus en plus de gestes irres-ponsable. Son refus de perdre, son acharnement à vouloir se refaire, ses idées erronées et sa conviction de gagner expliquent en grande partie cette irresponsabilité grandissante. Le joueur commence à manquer d'argent et l'augmentation des pertes financières crée une très grande pression sur lui. Il se rabat alors sans cesse sur le jeu et prend de mauvaises décisions. Comme il doit se refaire vite, qu'il est convaincu de gagner, il retourne constamment au jeu en dépit des conséquences négatives répétées.

En agissant de la sorte, le joueur se fait prendre par l'urgence du présent. Il n'a plus le recul nécessaire pour évaluer avec justesse sa situation. Même s'il perd toujours plus, chaque fois il se dit que *ce soir sera un soir chanceux*. Son obsession pour le jeu lui occasionne des problèmes qu'il n'arrive plus à contenir. Il doit gagner de l'argent, et vite.

La perte de contrôle au jeu entraîne des conséquences lourdes pour le joueur, mais également pour son entourage. Un proche, familiarisé avec le concept de la perte de contrôle au jeu, sera davantage en mesure d'élaborer un plan stratégique de résolution des problèmes qui tient compte de cette réalité. Mais peut-on recon-naître un tel joueur durant la phase des pertes ? Qu'est-ce vraiment que « perdre le contrôle de ses habitudes de jeu » ?

L'analyse de la phase des pertes permet de tracer un portrait fidèle d'un joueur en perte de contrôle et de comprendre sa souf-france à ne pouvoir résister à son impulsion. Prisonnier de cette phase, le joueur ressent les états « à chaud » les plus violents et les convictions de gagner les plus inébranlables. En raison des pertes d'argent importantes qui s'accumulent et dans l'espoir de se refaire, il manipule, risque tout et ignore les conséquences de ses actes. Le joueur est intelligent, il voit bien qu'il perd, mais lorsque l'impul-sion de jouer se manifeste, il est incapable de se maîtriser. Chaque fois, l'attrait du jeu se fait plus fort que lui. Chaque fois, le joueur contemple le jeu comme la solution à l'impasse qu'il a créée. Le jeu devient sa solution miracle. À ce stade, c'est une question de survie financière pour le joueur, qui cherche avant tout à *sauver les meubles*. Et tant qu'il ne sombrera pas dans une détresse profonde, il esquivera les responsabilités en multipliant ses retours au jeu. Il augmentera ses mises et jouera de très longues périodes de temps. Mais pour ce faire, il devra mener une double vie. La perte de contrôle au jeu devient son enfer.

Encore une fois, l'exemple de l'accident de voiture peut nous aider à saisir l'essence même de la perte de contrôle. Lorsqu'il fait des tonneaux sur une chaussée glacée, le conducteur n'a visiblement plus le contrôle. Trop de choses lui échappent, trop de choses le bousculent. Bien qu'il veuille corriger la situation et ramener la voiture en position sécuritaire, cela lui est hors de portée. Rien de ce qu'il fait ne l'approche de son désir de sécurité. Et même s'il sait qu'il serait préférable de ranger la voiture sur le côté de la route, cela ne signifie pas qu'il en soit capable. De même, lorsque le joueur a perdu le contrôle au jeu, il est incapable d'agir dans son propre intérêt ou celui des autres. Il voit bien qu'il cause du tort, mais il ne peut s'empêcher de retourner jouer.

Cette incapacité de se comporter dans son propre intérêt ou celui de ses proches, le joueur la ressent dans la honte et le mépris de soi. Dans un état « à froid », sans désir de jouer ou dans l'impossibilité de le faire, le joueur a honte de son irresponsabilité et de son manque de contrôle. Il souffre. Son impuissance le hante. Il regrette amèrement toutes les difficultés qu'il cause. Mais, très vite, l'impulsion de jouer recrée en lui un état « à chaud » dans lequel il se voit gagner et résoudre rapidement ses problèmes. Incapable de résister à cette envie brutale, de réprimer ses désirs pour le jeu, le joueur perd à nouveau le contrôle. Il est comme un boulimique devant une tarte au chocolat : il est bien conscient qu'il ne doit pas consommer tant de sucre, mais il ne peut résister, et chaque bouchée est suivie d'une autre. C'est la tarte entière qu'il finit par dévorer ! À l'instar du boulimique, le joueur ressent une vive pression à se laisser aller. Ses émotions lui font perdre le contrôle sur ses mises.

Évidemment, un épisode isolé d'excès au jeu n'indique pas forcément que le joueur est en perte de contrôle, comme un abus occasionnel d'alcool ne fait pas d'une personne un alcoolique. C'est la répétition des pertes de contrôle qui indique clairement qu'un problème est en voie de se développer ou qu'il est déjà installé. Le terme *trop* s'applique alors à trois dimensions : le joueur risque *trop* d'argent, il y retourne *trop* souvent et il y consacre *trop* de temps.

Le joueur risque trop d'argent

Comment savoir si un joueur dépense trop d'argent dans les jeux de hasard ? Cette question en apparence simple se révèle des plus difficiles. Contrairement à une consommation abusive d'alcool, il n'existe aucun « taux » spécifique permettant de dire que la consommation des jeux est abusive. D'un point de vue financier, il semble qu'une personne qui joue selon ses moyens ne dépense pas trop. Puisque le jeu est une activité de loisir, la quantité d'argent qu'un joueur peut y risquer d'une façon responsable dépend de ses moyens financiers. Pour savoir si 200 $ par jour, par semaine ou par mois, c'est trop, il faut connaître les ressources du joueur. Il n'y a donc pas de montant d'argent précis à partir duquel il est possible de dire s'il y a ou non la présence d'un excès au jeu. Chaque cas est un cas d'espèce.

Un joueur qui ne parvient plus à respecter le montant d'argent qu'il s'est fixé fait forcément des excès. S'il se propose, par exemple, de ne risquer que 40 $ et qu'il continue chaque fois ses mises tant qu'il n'a pas vidé ses poches, il joue de façon excessive. Si, à chaque séance de jeu, il est incapable de se contrôler, si la tentation de la prochaine mise est « plus forte que lui », il joue de façon excessive.

Bref, le premier ingrédient d'une perte de contrôle au jeu est l'incapacité du joueur à respecter ses limites, à terminer quand il le veut une séance de jeu.

Le fait de miser trop d'argent au jeu provoque invariablement des conséquences négatives : endettement, emprunts, hypothèque, vente des biens, surcharge des cartes et des marges de crédit en sont quelques exemples. Lorsque les moyens légaux sont épuisés, il peut même recourir aux fraudes et aux vols. En théorie, ces conséquences négatives sont un indice clair des excès du joueur, mais en pratique, comme le joueur ment à son entourage, le proche ignore l'ampleur des montants d'argent qu'il perd et est ainsi privé d'une information essentielle. Comme indice, le proche peut donc retenir que tout joueur qui est incapable de respecter les montants qu'il prévoit jouer provoque généralement des conséquences néfastes.

Le joueur joue trop souvent

Il est difficile d'évaluer si un joueur joue trop souvent. En fait, c'est généralement la présence de conséquences négatives qui signale un excès à cet égard. En plus d'entraîner des conséquences financières fâcheuses, le fait de jouer trop souvent peut également générer des conflits avec l'entourage. Le joueur brille alors par son absence, à la maison ou au travail. Il manque à maintes reprises à ses responsabilités. Ses désaccords avec son entourage s'amplifient. L'augmentation des conflits peut donc indiquer une fréquence de jeu trop élevée.

Mais la fréquence des retours au jeu, à elle seule, n'indique pas avec certitude la présence d'une perte de contrôle. De fait, le joueur qui consomme des jeux de hasard quelques fois par semaine peut ne pas être en perte de contrôle, alors qu'un autre qui y accède une seule fois par mois peut jouer de façon tout à fait excessive. Ce qui importe à ce chapitre, c'est que le joueur soit capable de résister aux multiples occasions de jouer qui se présentent à lui. L'incapacité répétée à dire non à une occasion de jouer reflète une perte éventuelle de contrôle.

Le joueur qui joue trop souvent laisse tomber ses autres activités de loisir pour se concentrer désormais sur les jeux de hasard. Son entourage est pour ainsi dire exclu de son univers, de sorte que les activités communes disparaissent peu à peu. Le joueur n'hésite pas à mentir pour retourner au jeu. Malheureusement, les mensonges freinent la capacité du proche à évaluer la fréquence de jeu d'un joueur excessif. Retenons que les conséquences négatives et l'incapacité du joueur à résister au jeu sont de bons indices d'une perte de contrôle.

Le joueur consacre trop de temps au jeu

Un joueur en perte de contrôle succombe à la moindre incitation à jouer. Et comme une mise en attire une autre, souvent il ne peut s'empêcher de miser jusqu'à ce qu'il ait tout perdu. Ses séances de jeu sont donc plus longues que prévu. Sa passion pour le jeu ne s'arrête toutefois pas là. Le joueur en perte de contrôle pense fréquemment au jeu ; il alimente sa passion de rêves et de pensées. Toute son attention gravite autour d'un seul thème : le jeu et les moyens d'y accéder. Les autres activités de sa vie perdent leur importance. Comme sa tête est pleine d'idées pour les jeux, peu d'espace y est disponible pour autre chose. Le joueur est ainsi obsédé avant, pendant et après une séance de jeu.

Le joueur consacre donc à son jeu de hasard favori plus de temps qu'il ne peut objectivement lui allouer. En plus de s'adonner à des séances interminables, il étudie les statistiques, recherche des moyens de se procurer de l'argent, met au point de nouvelles stratégies, planifie les prochaines séances de jeu, invente des mensonges, etc. Le joueur en perte de contrôle ne carbure plus qu'aux jeux de hasard et d'argent.

En somme, la perte de contrôle au jeu dépend de trois zones d'excès : le joueur risque trop d'argent, trop souvent et trop longtemps. Des excès répétés dans une ou plusieurs de ces dimensions laissent présager une perte de contrôle au jeu. Sans contrôle, le joueur développera un problème de jeu excessif. Mais comment le proche peut-il reconnaître le jeu excessif d'un joueur ?

Les 10 indices du jeu excessif

Puisque le joueur en perte de contrôle ment et manipule de façon à poursuivre ses activités de jeu, beaucoup de temps s'écoulera avant qu'un proche puisse cerner le problème.

Pour plusieurs raisons, à moins de demander l'avis d'un spécialiste, il est très difficile pour un proche de déterminer si le joueur présente ou non un problème de jeu. L'une de ces raisons, c'est que les symptômes du jeu excessif font aussi partie d'autres problématiques. Par exemple, le repli sur soi peut aussi bien indiquer un épisode dépressif qu'une passion dévorante pour les jeux. Sans l'aveu du joueur lui-même, le problème de jeu reste donc facilement secret.

Les 10 signes énumérés ci-après aideront toutefois l'entourage à dépister le joueur en difficulté. La présence de cinq de ces indices chez un joueur indique habituellement le jeu excessif. Ces indices sont une adaptation des critères diagnostiques énumérés dans le guide des psychiatres, des psychologues et des médecins (*DSM-IV*).

ATTENTION !

Les indices que laisse échapper un joueur excessif passent habituellement inaperçus aux yeux des proches, et parfois même des professionnels de la santé mentale. Le joueur fait vraiment tout en son pouvoir pour tenir secrète l'étendue de sa passion et, malheureusement, il y parvient dans bien des cas. Il est donc normal pour un proche de ne pas faire le lien entre certains signes et le problème de jeu. Aussi, ces indices sont présentés à titre indicatif et préventif seulement. Seul un professionnel peut poser un diagnostic de jeu excessif.

1. La préoccupation ou l'obsession du jeu

Le joueur en perte de contrôle revit en pensées les instants heureux qu'il a vécus en jouant. Sa passion pour les jeux prend sa source dans ces brefs moments de plaisir. En pleine euphorie, il est porté à croire qu'il est doué ou plus chanceux que les autres ; il commence à penser que le jeu peut être sa planche de salut.

Les préoccupations du joueur le poussent à rechercher les endroits de jeux. Au début, il peut inciter un proche à l'accompagner au casino. Par exemple, il peut lui offrir des voyages propices au jeu ; les destinations comme Atlantic City, Monaco et Las Vegas révèlent bien ses intentions.

L'inévitable phase des pertes fixe l'obsession du joueur sur son jeu préféré. Tant le désir de jouer que celui de trouver de l'argent, de rembourser certaines dettes et de s'améliorer accaparent maintenant une bonne partie de ses pensées. Le besoin de se refaire le hante. Le jeu n'est plus un jeu, mais plutôt une façon de surmonter les difficultés.

Cette obsession du jeu se manifeste sous plusieurs formes. Par exemple, le joueur peut aimer fureter dans des sites Internet de jeux ; ainsi, le proche qui le surprend devant son écran peut avoir la puce à l'oreille si ce dernier, se sentant coupable, ferme très rapidement les fenêtres de ces sites à son arrivée. La culpabilité est certes un bon indicateur d'une relation trouble entre les pensées du joueur et les jeux. La fébrilité qu'il manifeste à l'égard des résultats de loteries et des publicités de jeu est aussi une autre manifestation obsessionnelle ; le proche qui l'observe bien pourra remarquer son excitation devant toute publicité de jeu, véritable déclencheur d'un état « à chaud ».

L'obsession du jeu est en lien direct avec l'argent. Le joueur excessif doit trouver de l'argent pour se refaire. Par conséquent, il s'intéresse aux finances de la maison, examine les comptes et les moindres dépenses, et tente de faire augmenter sa marge de crédit. Dans sa quête d'argent, il peut renouer avec de vieilles connaissances et modifier son réseau d'amis. Il ne pense plus qu'en fonction du jeu.

2. L'augmentation des mises

Durant la phase des pertes, loin de s'avouer vaincu par le jeu, le joueur augmente ses mises. Mais comment cette augmentation se traduit-elle dans ses comportements ?

Un des signes probables, c'est que le joueur devient économe à outrance. Il cherche à réduire tout ce qu'il juge désormais luxueux : disques, restaurants, cadeaux, vêtements, chaussures, cinéma, soirées entre amis, nourriture fine ou même ordinaire, matériel scolaire, shampooing, etc. Pour s'assurer qu'aucun membre de la famille ne fera d'achats *inutiles*, il peut prendre la responsabilité des finances de la maison et critiquer toute dépense faite par un proche. Un tel changement d'attitude à l'égard d'une consommation normale signale parfois le jeu excessif.

Puisqu'il manque d'argent, le joueur devient avare et vit de ses réserves, tel un soldat perdu en forêt. En raison de la hausse de ses mises au jeu, il inverse la valeur des choses : chaque sou dépensé est un sou de moins pour jouer. Afin de préserver son argent pour le jeu, il peut empêcher les proches de connaître la réalité financière de la famille. Pour cela, il n'hésitera pas à détruire toute trace de comptes en souffrance, de factures impayées, d'avis de paiement et de relevé du compte de téléphone. D'une manière très habile, il inventera des histoires pour chaque pièce manquante ; par exemple, il racontera que le guichet automatique a gobé son carnet de banque. Il mentira mais feindra l'honnêteté pour cacher son manque d'argent. Dans les cas extrêmes, le joueur s'aventurera du côté des actes illégaux pour se procurer l'argent qu'il lui faut. Comme il mise plus, il a besoin de plus. Tel l'alcoolique, il a toujours besoin d'augmenter la dose pour ressentir des effets !

De façon générale, la première solution du joueur est d'emprunter afin de poursuivre sa frénésie des jeux. Il ment pour faire cet emprunt, mais il n'en ressent pas de culpabilité. Du moins, pas sur le coup, puisqu'il est certain qu'il honorera cette dette. On se souvient, le joueur « à chaud » se convainc de gagner. Par cet emprunt, il envoie tout de même le signal qu'il manque d'argent. Toutefois, comme il cache ses intentions réelles, cet indice potentiel n'est généralement pas perçu par son entourage. Les multiples tentatives d'emprunts indiquent généralement un besoin obsessionnel d'augmenter les mises.

3. L'incapacité de diminuer ou d'arrêter le jeu
Même si le joueur excessif promet « à froid » d'arrêter de jouer ou de diminuer le montant et la fréquence de ses mises, il est incapable de tenir ses promesses lorsqu'il est « à chaud ». Voilà pourquoi il retourne sans cesse vers les jeux. Il a beau se répéter « cette fois, je vais me contrôler », aussitôt que l'impulsion de jouer le tenaille, il se convainc chaque fois qu'il gagnera et échoue à respecter ses limites au jeu. Ses nombreux échecs à se contrôler engendrent chez lui de la honte et de la colère. Il se renfrogne, devient irritable ou accusateur.

Incapable de diminuer ses activités de jeu, le joueur se verra contraint de présenter de plus en plus souvent ses excuses aux siens : il manquera, en effet, à ses rendez-vous et à ses obligations ; il sera fréquemment en retard et sera même absent lors des soupers d'anniversaire, celui de ses enfants ou de sa conjointe, ou même celui qu'ils ont préparé en son honneur.

Malgré le désir de se maîtriser, le joueur se fait happer par le cycle des pensées erronées : s'il gagne, il se dit qu'il gagnera davantage ; s'il perd, il se convainc qu'il ne peut pas toujours perdre. Pris dans cet engrenage, il n'a d'autre choix que de faire de multiples retraits à son guichet automatique. Ce comportement répétitif est considéré comme à haut risque puisqu'il signale, dans bien des cas, l'incapacité du joueur à diminuer sa propension à jouer.

4. Les symptômes du manque

Rien n'est plus difficile pour un joueur excessif que de résister à une impulsion de jouer. S'il tente de la combattre, il éprouve alors un grand stress avec lequel il est incapable de composer. Le joueur ne comprend pas l'origine de cette pression qui, malheureusement, s'accentue avec le temps. S'il essaie d'arrêter de jouer ou s'il ne peut se rendre à un endroit de jeu, il éprouve même des symptômes de sevrage : il est impatient et irritable envers ses proches ; il souffre d'anxiété, ressent de la peur et parfois même de la panique. À cela s'ajoutent divers symptômes de manque très incommodants, notamment des étourdissements, des maux de cœur, de ventre ou de tête. Pour apaiser ses émotions désagréables, il cédera, impuissant, à la pression du jeu.

De l'extérieur, ce qui est un signe probable de sevrage, ce n'est pas tant l'impatience ou l'irritabilité du joueur que leur apparition nouvelle. Par conséquent, un changement d'humeur radical chez une personne reflète parfois son incapacité à tolérer le manque.

5. La fuite

Le jeu excessif représente une façon pour le joueur de s'apaiser, de fuir. Il croit qu'en jouant ainsi il parviendra à surmonter son malaise intérieur ou tout autre inconfort. Et puisqu'il retrouve par moments l'apaisement qu'il recherche, il récidive. Mais cette fuite étant de courte durée, le joueur doit la provoquer sans cesse.

Habituellement, le joueur succombe au jeu lorsqu'il s'ennuie, se querelle, qu'il a besoin de payer des comptes ou de ressentir des émotions fortes. La fuite du joueur excessif prend des allures d'automatismes. Le répit qu'il trouve au jeu explique en partie la résistance qu'il a à se dévoiler à son entourage ou simplement à rechercher de l'aide. Il est vrai que le joueur gagne à l'occasion et qu'à court terme sa «solution» fonctionne. On peut comprendre qu'il se refuse à renoncer à ce style de vie remplie d'excitations. Pourtant, si le jeu est un problème, il ne peut être à la fois une solution.

6. Le désir de se refaire

Vouloir se refaire financièrement au jeu, c'est désirer récupérer l'argent perdu. C'est aussi la manifestation du grand refus de perdre chez le joueur. Mais comment peut-on reconnaître le désir de se refaire du joueur excessif en pleine phase des pertes ?

Entêté, le joueur s'obstine à recouvrer son argent en retournant plus souvent au jeu ou en augmentant les mises. Outre ces deux comportements, peu d'indices permettent à un proche de s'apercevoir si un joueur est prisonnier de son désir de se refaire. D'ailleurs, ce dernier lui-même avoue rarement ressentir un tel désir. Il peut même le camoufler, par exemple en parlant plutôt de sa fantaisie d'être un joueur *professionnel* ou en voie de le devenir. Cette idée le réconforte.

De ce désir de récupérer son dû naît la majorité des comportements manipulateurs du joueur.

7. Les mensonges

Rendu égoïste par son obsession de jouer, le joueur excessif manipule ses proches. C'est que, pour soutirer l'argent de son entourage et obtenir sa compréhension, voire sa bénédiction, le joueur doit tôt ou tard justifier ses retards, ses absences, son besoin ou son manque d'argent. Ses histoires mensongères deviennent pour lui un moyen efficace et naturel d'atteindre son but.

Par exemple, le joueur peut mentir concernant un bris ou une panne de voiture, puis aller jouer l'argent ainsi soutiré à ses proches. Il peut aussi se plaindre qu'il a besoin d'argent pour rembourser le dentiste, l'optométriste ou l'éducateur physique, vendre un chat trouvé dans la rue en prétextant ne plus être en mesure d'en prendre soin, ou encore organiser une collecte de fonds auprès de ses amis pour venir en aide à un collègue prétendument dans le besoin. Bref, tous les mensonges sont bons pour le joueur en manque d'argent. Et avouons-le, il devient un expert dans cet art douteux et transforme tout à son avantage. Pas étonnant que le cycle des mensonges s'étale sur une longue période de temps !

Comment reconnaître qu'un joueur excessif multiplie les mensonges ? L'intuition sera toujours le plus puissant détecteur à cet égard. Voyons tout de même quelques autres indicateurs. Des réponses très évasives, des informations incohérentes, contradictoires ou peu crédibles peuvent indiquer que la personne ment. De plus, afin de ne pas se laisser piéger, elle demeure habituellement avare de détails et change rapidement le thème de la conversation. Elle peut aussi durcir le ton pour manifester son refus d'approfondir la question. Ultimement, le silence camoufle la majorité de ses mensonges.

8. Les fraudes

L'aggravation d'un problème de jeu pousse parfois le joueur à prendre des moyens illégaux pour se procurer l'argent dont il a besoin. Du faux chèque jusqu'à la vente de biens ne lui appartenant pas, en passant par le vol de ses proches, le joueur grappille illégalement çà et là des sommes appréciables. Ce faisant, il s'enlise dans un cercle vicieux puisque son jeu excessif lui fera perdre tout cet argent ; il devra alors récidiver et commettre d'autres actes illégaux pour tenter de se refaire. Et chaque fois, il risquera de se faire prendre.

Le joueur excessif ne possède pas d'emblée une personnalité antisociale. Il est rare qu'un joueur commette des actes illégaux éclatants qui demandent une longue planification et la complicité d'autres personnes. Aussi, la plupart de ses activités illégales demeurent-elles secrètes longtemps aux yeux de ses proches ; bien souvent, ceux-ci ne les découvrent que lorsque le joueur fait l'objet d'une enquête ou d'une condamnation.

Le joueur qui commet des actes illégaux réussit parfois à persuader un proche de le couvrir : « Ne cherche pas à comprendre, fais-moi confiance, lui dit-il. Fais simplement ce que je te dis et tout ira pour le mieux. » Par ses mensonges et ses abus de confiance, il fait du proche un complice non consentant et le prend dans ses filets. On comprend l'horreur que ce dernier ressentira lorsqu'il apprendra que sa couverture a aidé le joueur à frauder un cousin ou un ami !

Parfois aussi, l'entourage du joueur connaît la nature illégale de ses actes, mais il trouve très délicat de dénoncer « une personne près de soi », surtout lorsqu'elle s'expose à une peine d'emprisonnement. Le proche devient alors prisonnier d'un dilemme : se comporter en bon citoyen ou protéger un être aimé. Ce conflit accroît passablement son stress. En ce cas, sa décision de dénoncer ou pas le joueur dépend de son propre niveau de tolérance au risque, de sa propre morale.

Heureusement, plusieurs joueurs excessifs ne franchiront jamais la barrière de l'illégalité.

9. La perte d'une relation importante ou d'un emploi

Plusieurs joueurs excessifs mettent en péril leurs relations significatives. Les mensonges, les conflits et les problèmes liés à leurs habitudes de jeu provoquent même parfois des ruptures définitives : des amis ne se parlent plus, des couples se séparent, des enfants renient leurs parents, etc. Lorsque l'entourage vit un stress chronique pénible, il voit parfois la rupture comme la seule porte de sortie.

Le jeu excessif met aussi en péril l'emploi ou les possibilités d'études de certains joueurs : ils jouent trop, vivent trop de problèmes et n'ont plus la concentration qu'il leur faut pour vaquer à leurs occupations. Leur rendement diminuant aussi vite que leur motivation, on ne tient plus à les garder. Quelques-uns perdent leur emploi en raison d'une fraude déclarée. D'autres joueurs préfèrent tout abandonner d'eux-mêmes, confiants que le jeu leur réserve un avenir meilleur.

Étonnamment, plusieurs joueurs camouflent longtemps les motivations profondes ayant mené à l'échec d'une relation ou à la mise à terme d'un emploi. Même après de telles pertes, ils persistent à mentir.

10. Le recours aux autres afin d'éviter la catastrophe financière
Pour se sortir des situations désespérées dans lesquelles il s'est empêtré, le joueur a parfois recours aux autres. Bien entendu, il épuise en premier lieu les ressources de son entourage : il peut vendre la voiture ou l'ameublement, prendre une deuxième hypothèque sur la maison, surcharger la marge et les cartes de crédit. Parfois aussi, il s'adresse à des prêteurs sur gages ou à des usuriers ; ces emprunts, il les fait la plupart du temps à l'insu de son entourage.

Tout proche qui se doute de la présence d'un problème de jeu a avantage à écouter son intuition : là se trouvent souvent les vraies réponses. Les indices présentés précédemment sont des points de repère. Nous le répétons, seul un spécialiste peut diagnostiquer un problème de jeu.

Voyons quels indices Simon présente.

SIMON

Seul dans sa chambre, Simon vit une attaque de panique. Ses récentes pertes au jeu l'ont entraîné à voler l'argent de la petite caisse des employés. Et par malheur, son collègue Christian l'a surpris la main dans le sac. Pour s'en sortir, Simon doit inventer quelque chose de crédible et renflouer la caisse.

Simon sent qu'il perd à nouveau le contrôle, qu'il devient « à chaud ». Tandis qu'il combat volontairement son désir de jouer, des images de gains l'obsèdent et le séduisent. « Ce soir sera mon soir ! Avec les gains, je retournerai l'argent de la petite caisse. Ensuite, j'arrête.

C'est certain!» On s'en doute, Simon est sur le point de céder à son impulsion de jouer.

«Mais où trouver l'argent pour jouer?» Simon a un éclair de génie : il se rappelle qu'il doit aller porter le climatiseur de sa mère chez le réparateur. Cet objet de luxe vaut au bas mot 500 $. «En a-t-elle vraiment besoin? De toute façon, je lui en achèterai un meilleur...», se dit-il, en route vers le prêteur sur gages.

Simon s'enlise dans une phase avancée des pertes. Il présente assurément un problème de jeu excessif, mais il ne demande pas d'aide. Malheureusement, il s'enfonce encore et encore, il accumule les pertes et les problèmes d'argent. Et il file tout droit vers la phase de désespoir.

LA PHASE DE DÉSESPOIR

Le joueur excessif qui nie son problème de jeu se rend généralement jusqu'à la phase de désespoir, une période marquée par la détresse, l'agressivité, la culpabilité, les remords, la honte et l'anxiété. Il désespère en s'isolant davantage. Il est incapable de tenir ses promesses de ne plus jouer ; il se sent impuissant quant à ses impulsions de jeu, à ses états «à chaud», et cette impuissance le fait souffrir terriblement.

Le joueur retourne donc au jeu sans contrôle ni estime de soi. Il joue malgré tout et malgré lui. Il se sent oppressé par les menaces de perdre son emploi, sa famille, sa réputation et, parfois même, sa liberté. Certains symptômes physiques se manifestent, notamment l'insomnie et les maux de dos. Rendu là, le joueur risque fort de sombrer dans la dépression.

La détresse associée au désespoir du joueur découle de son impuissance à se contrôler. Avec le temps et l'accumulation des problèmes, il tente lui-même de freiner ses ardeurs au jeu, mais, comme il n'y parvient pas, il en vient parfois à penser que sa situation est sans espoir. Toutefois, de la même façon qu'il refuse de perdre de l'argent au jeu, le joueur refuse l'idée d'avoir perdu totalement le contrôle. C'est pourquoi, durant la phase de désespoir, il conserve une grande ambivalence à l'égard du jeu : parfois il l'entrevoit comme une source inépuisable d'ennuis, parfois il le considère comme une solution magique. Malheureusement, cette ambivalence le poursuivra même s'il se décide à entamer une thérapie. En somme, la conviction de gagner du joueur ne s'éteint pas avec l'arrivée de la phase de désespoir ni avec le début de la thérapie.

Le joueur se libère très difficilement de l'idée que le jeu puisse être une solution à court terme. Il lui est pénible d'admettre qu'il a été vaincu, battu par les jeux, que ces derniers sont plus forts que lui. Il parvient avec peine à faire le deuil du jeu à titre de solution, car cela signifierait que tout ce temps passé au jeu était une erreur, un manque de jugement de sa part. Cela signifierait aussi que, par son unique faute, il a été responsable de sa déchéance et même, dans certains cas, de celle de son entourage. Or, le joueur ressentait déjà une profonde honte. Maintenant, il est carrément acculé au mur, sans moyens ni ressources. Il n'a plus vraiment le choix : il doit changer.

À ce désespoir s'ajoute parfois une colère terrible. Le joueur excessif en veut à l'industrie des jeux, la blâmant désormais des maux qui l'infligent. Il en veut aussi à son entourage de ne pas le comprendre, de ne pas le soutenir davantage, et l'accuse parfois même de provoquer ses rechutes. Mais en reportant sa colère vers l'extérieur, en accusant l'*autre*, il se garde à des lieux de se remettre en question. Il repousse l'idée de sa responsabilité : c'est l'*autre* qui doit changer, pas lui. En faisant cela, le joueur reporte à plus tard la vraie reconnaissance de son problème de jeu.

Le joueur désespéré est littéralement enseveli sous l'anxiété et les menaces qui pèsent sur lui. Nul doute que des accusations à la cour criminelle ont la capacité de provoquer des peurs et de l'angoisse ! De même, les risques de voir s'effriter les relations importantes de sa vie, de se retrouver seul et abandonné ne le laissent pas indifférent, sans compter l'amoncellement des problèmes financiers de tout acabit. Paradoxalement, le joueur excessif risque de se rabattre encore une fois sur le jeu afin de fuir cette émotion désagréable. Le jeu redevient rapidement une solution à ses yeux. Son anxiété, sa détresse et son désespoir le poussent à commettre des gestes absurdes et contre toute logique.

Le joueur est conscient de l'absurdité de ses actes lors de la phase de désespoir. Il se hait de ne pas tenir ses promesses de ne plus jouer. Il s'en veut de trahir ses proches en les entraînant vers l'insécurité. Tenaillé par ces émotions désagréables, il choisit parfois de s'isoler plutôt que d'imposer sa présence aux autres. Il ne supporte pas l'idée de n'être qu'un fardeau pour ses proches. Il verra dès lors se pointer en lui un profond sentiment d'impuissance, et souvent une dépression.

Le joueur excessif souffre de ne pas avoir le contrôle. Il en ressent une profonde culpabilité et de violents remords. Il n'est pas fier de lui et porte une honte inqualifiable. Cette détresse, il peut l'exprimer par des idées suicidaires ou des comportements qui mettent sa vie en danger. Ayant perdu tout respect pour lui-même, il ne respecte plus sa propre vie. Il peut alors tenter désespérément de se refaire au jeu et, dans un ultime pari, risquer le tout pour le tout. À l'extrême, il fait le pari de la vie ou de la mort. L'entourage doit donc considérer avec sérieux les possibilités de suicide durant la phase de désespoir. Heureusement, il s'agit là d'un acte extrême que peu de joueurs excessifs choisissent.

Même pétri de désespoir, le joueur est extrêmement réticent à demander de l'aide. Étonnant ? Oui et non. Sa dynamique le pousse à espérer des jeux une solution à ses problèmes. À ce stade, il est encore, d'une part, obsédé par des idées erronées et une conviction de gagner et, d'autre part, rempli de honte et de désespoir. Tout compte fait, il préfère fuir le regard des autres, car il redoute tant leur jugement que leurs critiques. Il craint aussi parfois le regard d'un spécialiste. S'ajoute à cela sa continuelle ambivalence entre le désir de se refaire et celui de reprendre ses responsabilités. Pas étonnant, donc, qu'il hésite à demander de l'aide.

Mais comment Simon vit-il cette phase ?

SIMON

On s'en doute, la *malchance* s'acharne sur Simon. Par malheur ou par bonheur, Christian, loin de jouer les bonnes âmes, lui intente un procès pour vol. Simon, d'habitude si intègre et droit, ne parvient pas à se reconnaître en tant que « voleur ». Ce terme a sur lui l'effet d'un électrochoc, mais sa honte est si grande qu'il désespère de trouver un jour une solution. Simon s'isole, il aimerait qu'on l'attache pour ne plus avoir à combattre son désir de jouer. Il se sent impuissant. Il souffre. Et pour la première fois, il prend conscience de tout le mal qu'il crée autour de lui.

Lily, elle, est au courant depuis un certain temps du problème de jeu de Simon, mais jamais elle n'aurait pensé qu'il irait jusqu'à commettre des actes illégaux. Dans la famille, rien ne va plus. Les enfants sont laissés pour compte, Lily ne sait plus que faire ni même si elle doit tenter quoi que ce soit. Elle est épuisée. Son conjoint, de son côté, voudrait tellement continuer à faire l'autruche.

Dépressif et impuissant, Simon se résoudra-t-il à demander de l'aide? Acceptera-t-il de reconnaître qu'il a un problème? Remettra-t-il un jour en question sa conviction de gagner, ses idées erronées et ses états « à chaud »? Bref, arrivera-t-il à surmonter son ambivalence entre la solution magique et illusoire qu'offrent les jeux et le retour à ses responsabilités de père, de conjoint et de travailleur?

À cette étape, le joueur profite généralement d'une aide extérieure, celle d'un spécialiste, pour reprendre sa vie en main et voir la lumière au bout du tunnel. Dans la troisième partie, nous nous pencherons toutefois sur la situation du proche puisque, c'est l'objet de ce livre. Afin de diminuer sa détresse, ou même de l'empêcher de survenir, nous proposons des stratégies et des attitudes qui lui permettront de résoudre les problèmes auxquels il fait face.

3
Établir une stratégie
de résolution de problèmes

Le proche qui sait reconnaître sa dynamique et comprendre celle du joueur peut mieux cerner ses attentes. Voilà pourquoi nous avons consacré les deux premières parties de ce livre à ces thèmes.

Dans les pages qui suivent, nous indiquons au proche comment élaborer et maintenir un plan d'action qui respecte ses attentes. Nous lui proposons des stratégies concrètes et applicables dès maintenant. À cela nous ajoutons plusieurs exercices offrant des pistes de solutions efficaces. En s'exerçant ainsi, le proche pourra mieux intégrer les stratégies suggérées; ce faisant, il trouvera l'espoir d'un retour au calme et le sentiment d'entreprendre des actions qui portent leurs fruits.

ATTENTION!
Cette section n'est pas une solution de remplacement à l'aide extérieure, mais plutôt un complément à celle-ci. Aussi, nous convions tout proche en détresse à rechercher immédiatement de l'aide, par exemple auprès de son médecin traitant, d'un psychologue ou d'une infirmière. Le proche n'est pas un sauveur : la décision finale, celle de jouer ou non, reviendra toujours au joueur.

Le premier pas à faire pour le proche, c'est de reconnaître les nombreux efforts qu'il a faits à ce jour. Il doit en être fier! Le simple fait qu'un proche s'informe en lisant un tel livre montre bien que c'est un être de cœur, déterminé, motivé et empreint de compassion. Et s'il continue à chercher de nouvelles façons de faire, il finira par en trouver qui soient vraiment efficaces. Là où une piste de solution échouera, une autre fonctionnera.

Les solutions nouvelles posent toutefois un défi de taille : accepter de se changer soi-même demande une bonne dose d'humilité. Cela exige du proche qu'il se libère de certaines idées préconçues. S'il prend le temps de changer certains comportements ainsi que certaines attitudes et perceptions, il pourra acquérir de nouveaux outils qui simplifieront sa vie à court, à moyen et à long terme. Ces changements pourront modifier favorablement sa relation avec le joueur ; dans certains cas, ce dernier sera même motivé à diminuer sa consommation de jeux ou à consulter.

Cependant, le proche ne doit pas voir la diminution des comportements de jeu du joueur ou son entrée en traitement comme le but ultime de sa démarche. Encore moins doit-il percevoir cet objectif comme relevant de sa responsabilité. Le proche n'est pas responsable des comportements de jeu de l'autre ni de la diminution de ses mises ou de son entrée en traitement. Il doit viser en tout premier lieu sa propre sécurité et son bien-être psychologique. Il doit chercher avant toute chose à assurer son équilibre.

Mais comme le changement est un processus, il ne se fait pas en un jour. Le proche fera donc des essais et des erreurs. Évidemment, nous ne croyons pas qu'il doive persévérer dans des stratégies qui lui nuisent ou qui l'empêchent de se centrer sur ses propres besoins. Au contraire ! Mais s'il veut bonifier sa façon de se comporter auprès du joueur, de communiquer ses attentes, il devra persévérer en réévaluant chaque fois sa situation.

Par ailleurs, le fait de lâcher prise sur certaines idées préconçues ou tenaces lui permettra d'ouvrir la porte de l'espoir, du changement et de l'apaisement. Pour illustrer l'importance du lâcher-prise, voici une légende africaine d'une grande sagesse. Chacun en tirera la conclusion qui lui convient.

LE SINGE ET LA BANANE

Les chasseurs-trappeurs d'un endroit lointain d'Afrique du Sud ont pris plusieurs années à élaborer un piège pour la capture des singes sauvages. Tout d'abord, ils installent une banane bien mûre dans une grande et lourde boîte. Le singe, qui l'aperçoit par une petite ouverture, peut à peine entrer sa *main* velue pour la saisir. Par malheur, dès qu'il la tient, il lui est impossible de retirer sa *main*, sa *main* unie à la banane étant devenue plus grosse que l'ouverture de la boîte. Le singe ne peut avoir ni la banane ni la liberté tant qu'il conserve la banane dans sa *main*. S'il la laissait tomber, il pourrait enlever facilement sa *main* de la boîte et se sauver, mais il refuse de laisser aller sa banane. Il ne lâche pas prise. Il se fait captif des chasseurs-trappeurs qui n'ont plus qu'à le cueillir à l'aide d'un filet.

Cette allégorie nous amène aux trois objectifs principaux de la stratégie de résolution de problèmes proposée dans cette troisième partie. Le premier objectif consiste à munir le proche d'une information nécessaire à sa protection personnelle. Il s'agira de protéger ses finances, de briser l'isolement et d'assurer son bien-être psychologique. Le deuxième objectif précisera comment le proche peut délimiter le champ de sa responsabilité en fixant ses limites. En prenant une saine distance par rapport au joueur, il sera mieux disposé à communiquer de façon efficace. Il pourra préciser ses attentes à l'égard du joueur et les lui faire connaître. Quant au troisième objectif, il mettra en lumière l'importance de tenir un journal. En effet, plus le proche aura un regard objectif sur ce qu'il vit, plus il sera apte à prendre des décisions averties.

Une mise en garde s'impose. Le changement entrepris par le proche aura forcément des répercussions sur le joueur. Et ces répercussions ne seront pas nécessairement celles qu'il espérait. De fait, il est possible que le joueur réagisse par des comportements imprévus ou non désirés. Par exemple, face à un proche plus tenace dans sa façon d'exprimer ses attentes, il pourra adopter une attitude défensive et réagir par de l'agressivité, battre en retraite ou quitter le proche. Voilà pourquoi nous invitons tout proche à assurer sa sécurité avant de modifier son attitude à l'égard du joueur.

Chose certaine, le proche en voie de changement augmente ses chances de résoudre ses problèmes. Habituellement, les attitudes affirmatives entraînent les autres à collaborer davantage qu'à se poser en ennemi. Après tout, le proche cherche à solliciter la collaboration du joueur. En ce sens, l'affirmation de soi s'inscrit dans le respect de l'autre. Le proche peut donc espérer des réactions positives de la part du joueur.

Mais tout d'abord, voyons comment le proche peut assurer sa sécurité financière et psychologique.

PREMIER OBJECTIF : ASSURER SA SÉCURITÉ FINANCIÈRE ET PSYCHOLOGIQUE

Le premier objectif du proche est d'assurer sa propre sécurité, c'est-à-dire de préserver ses finances et son bien-être psychologique.

Pour illustrer l'importance de prendre soin de soi d'abord, prenons l'exemple d'un agent de bord qui rappelle aux passagers les mesures d'urgence avant chaque décollage d'avion. En cas de dépressurisation de l'appareil, l'agent demande en effet à tout adulte de poser un masque à oxygène sur sa bouche avant d'aider un enfant à le faire. Cela augmente la sécurité de tous…

Protéger ses finances

L'avocat est un professionnel bien formé pour conseiller le proche. Il est en mesure d'offrir une information personnalisée et adaptée. Pour préparer cette section, nous avons donc rencontré une avocate, Me Isabelle E. Geoffroy. Voici ce que cette spécialiste en litiges conjugaux et en séparation de biens propose au proche afin de se protéger financièrement contre les excès d'un joueur en perte de contrôle.

Que diriez-vous à un proche qui soupçonne la présence d'un problème de jeu chez quelqu'un près de lui ?

Mᵉ Geoffroy : Le proche a avantage à rechercher la collaboration du joueur ; cela facilitera la mise en place des actions à poser pour assurer sa sécurité financière. Il doit aussi prendre des mesures bien concrètes pour assurer cette sécurité financière. Voici quelques recommandations à ce propos :

- Le proche doit s'informer de l'état de ses finances dès l'apparition d'un doute. En matière d'argent, mieux vaut ne rien laisser traîner. C'est la règle de base. Ensuite, le proche doit délimiter sa responsabilité quant à divers paiements obligatoires (hypothèque de la maison ou loyer, téléphone, électricité, chauffage, marges de crédit, cartes de crédit, etc.). Je lui suggère fortement de ne pas tolérer les retards de paiements qui s'accumulent. Plus vite il agira, plus il lui sera facile de mettre en place les mesures correctrices. Une dette de 2 000 $ s'éponge plus facilement qu'une dette de 120 000 $.

- Le proche a le droit d'être informé de tout détail concernant chacun des contrats qu'il a cosignés avec le joueur. Aussi, je suggère au proche de communiquer directement avec chaque institution où il croit sa responsabilité engagée et de s'informer de l'état des paiements pour lesquels il est en partie responsable. Je lui conseille de ne pas négliger le courrier relatif à de tels engagements. Comme le joueur récupère souvent le courrier le premier pour cacher les factures, je recommande au proche de jouer de vitesse et de récupérer le courrier dès son arrivée, des mains du facteur s'il le faut ! S'il est illégal d'ouvrir le courrier adressé à une autre personne, il est néanmoins normal de chercher à en connaître la provenance. Cela donne parfois des indices quant à l'étendue du problème.

- Le proche a non seulement des droits quant aux contrats qu'il a cosignés avec le joueur, il a aussi des obligations. Il est donc responsable, au même titre que le joueur, du respect de ces contrats, notamment en ce qui a trait aux paiements. Il devra donc payer tôt ou tard, seul ou avec le conjoint, les comptes en souffrance et les factures impayées. Outre la faillite, rien n'efface une dette. Rappelons que les créanciers ne désirent qu'une seule chose : être payés. Ils ne s'embarrassent pas de bons sentiments et feront ce qui est légalement à leur disposition pour récupérer leur argent. J'insiste encore, mais il faut rapidement que le proche s'informe de l'état des paiements et qu'il prévoie un plan de remboursement.

• Le proche cosignataire avec le joueur d'un contrat de marge de crédit ou de carte de crédit peut demander, avec ou sans l'accord du joueur, une diminution du montant maximal. Il peut ainsi communiquer avec sa banque ou avec l'émetteur de sa carte de crédit pour limiter le montant maximal accordé au montant déjà utilisé. Par exemple, s'il a accès à 25 000 $ de crédit et que le joueur en a dépensé 8 000 $, le proche peut, s'il est cosignataire, ramener le montant maximal à 8 000 $, soit le montant déjà dépensé. Le proche cosignataire ne doit jamais oublier qu'il demeure responsable, avec le joueur, de rembourser tout montant d'argent dépensé à crédit. Toutefois, et ce point est important, une fois que la dette est payée, le proche peut se retirer des contrats qui le lient au joueur. Il lui suffit d'en faire la demande à sa banque ou à l'émetteur de la carte de crédit.

• Le proche devrait, à mon avis, rapatrier son argent et se libérer des comptes communs.

• Puisque le proche doit posséder une information complète de ses finances, il doit faire le bilan de ses actifs (argent comptant, comptes en banque, maison, meubles, automobiles, œuvres d'art, bijoux, actions, obligations, placements, régime de retraite, épargnes, etc.) et de ses passifs (dettes, prêt hypothécaire, prêt personnel, marge de crédit, cartes de crédit, ventes à tempérament, etc.).

• Le proche doit aussi prendre l'habitude de faire un budget. Bien que cette tâche puisse paraître désagréable, et même difficile à plus d'un, elle reste essentielle (l'annexe 1, à la page 149, fournit les composantes d'un budget). Le joueur en perte de contrôle fait des gestes irresponsables, c'est le nœud de son problème. Si le proche n'encadre pas le joueur, c'est le joueur qui imposera son cadre au proche. Comme la gestion des finances peut être stressante, surtout dans ce contexte, et que le joueur risque de harceler la personne qui tient les cordons de la bourse pour accéder à l'argent, je conseille à tout proche de rechercher le soutien d'une personne de confiance. Je le répète, il est capital de faire un budget, mais surtout de le respecter et de procéder fréquemment à sa mise à jour. Ce budget sera nécessaire dès que le proche consultera un spécialiste ou une ressource d'aide.

- Le proche doit savoir également que le titulaire (propriétaire) d'une police d'assurance dite rachetable peut emprunter en donnant celle-ci en garantie. Il se peut que le joueur, s'il est titulaire d'une telle police, l'ait déjà fait. Le proche a donc avantage à en être informé avant de faire l'inventaire de ses actifs et ses passifs. Le proche dispose lui aussi, par ce type d'assurance, d'une liquidité qui peut, à certaines occasions, le tirer d'embarras.

- Le proche qui désire de l'information quant à des paiements pour lesquels il n'est pas responsable ne peut s'en informer qu'auprès du joueur. Seul le joueur qui le désire peut renseigner le proche au sujet des paiements qui le concernent. Bref, le proche n'y a accès que si le joueur le veut bien. C'est la loi qui l'exige.

- Le proche ne devrait plus faire d'achats en association avec le joueur. Je lui suggère de les faire en son nom seulement afin de protéger ses biens.

- Le proche a avantage à contrôler les entrées d'argent. Par exemple, le chèque de paie du joueur peut être déposé directement dans un compte duquel les prélèvements bancaires seront effectués de façon automatique.

- Le proche peut inciter le joueur à rencontrer le personnel de son institution bancaire et à faire limiter ou interdire les retraits des guichets automatiques. À cet effet, il peut être intéressant de s'informer de ce que chaque institution offre comme mesures de protection.

En cas de non-paiement, qu'advient-il des divers comptes et factures (taxes municipales et scolaires, hypothèque de la maison ou loyer, téléphone, chauffage et électricité, marges et cartes de crédit, voiture, etc.) ?

Me Geoffroy : Le principe général est le suivant : il faut payer toute dette. Plusieurs avis de non-paiement seront transmis à la personne désignée, lui demandant d'acquitter les frais. En fait, c'est plus qu'une demande, c'est une exigence ! D'où l'importance pour le proche d'avoir accès le premier au courrier. Si les paiements ne sont pas effectués à temps, des interruptions de service sont possibles. Certaines poursuites judiciaires ou saisies peuvent être entreprises si le joueur ne règle pas ses factures. Voici deux renseignements importants à ce propos :

- Le proche et le joueur peuvent se protéger, seuls ou à deux, contre la saisie de leurs salaires et de leurs biens. Cependant, ils devront prendre une mesure légale de dépôt volontaire ou conclure une entente de remboursement. Le palais de justice offre ce type de service.
- Le proche et le joueur peuvent également prendre des mesures spécifiques afin de préserver la résidence familiale. Compte tenu du trop grand nombre de cas d'espèce, j'invite le proche à consulter un juriste (notaire ou avocat) pour ce faire. Tout n'est pas saisissable : il existe des mesures de protection.

Est-ce que les dettes du joueur peuvent être effacées compte tenu d'un diagnostic de problème de jeu ?

Me Geoffroy : À ce jour, aucune dette ne peut être effacée en raison d'un diagnostic de jeu pathologique. Au plus, à la cour criminelle, ce diagnostic pourrait atténuer la peine d'un joueur. Ici, le cas par cas fait loi.

La faillite est-elle une bonne solution pour effacer l'ensemble des dettes ?

Me Geoffroy : Une faillite n'efface pas forcément l'ensemble des dettes accumulées, notamment les dettes liées aux retards de paiement d'une pension alimentaire. Et tant que le joueur est en perte de contrôle, la faillite, mesure ultime, ne devrait pas être envisagée comme solution. Il est inutile de déclarer faillite si le joueur accumule d'autres dettes. On ne peut pas faire faillite un nombre illimité de fois, cela ne règle rien.

Par ailleurs, la faillite rend difficile l'obtention ultérieure de crédit. De plus, certaines personnes se relèvent difficilement d'une faillite. Toutefois, celle-ci demeure, dans certaines occasions, une porte de sortie intéressante. Un syndic de faillite pourra informer le proche au sujet des procédures à prendre, au besoin.

Avant toute démarche de faillite, le proche considérera la consolidation de ses dettes. Une consolidation de dettes n'est ni plus ni moins qu'un plan de remboursement, une entente de remboursement. En prenant une telle entente auprès de son institution bancaire, le proche démontre sa bonne volonté d'honorer ses responsabilités, d'arrêter l'hémorragie. Cette façon de faire lui permet souvent de diminuer le montant d'argent mensuel à rembourser. Comme la pression diminue, il peut respirer un peu.

Que faire des dettes contractées illégalement par le joueur ?

Me Geoffroy : Aucune mesure légale ne prévoit un code de remboursement des dettes contractées dans l'illégalité. Cependant, le joueur pourra conclure des ententes de remboursement auprès de l'usurier avec qui il a fait affaire. Les usuriers aiment mieux récupérer leur argent que de casser des jambes, ce qui explique que plusieurs d'entre eux acceptent ce type d'entente.

Les dettes illégales engendrent de fortes peurs chez les joueurs, auxquelles s'ajoutent les grandes pressions exercées sur eux par les usuriers qui désirent ravoir leur argent à tout prix. Le joueur a donc avantage à ne pas laisser traîner ce genre de dettes.

Je souligne également l'importance de prévoir un plan de remboursement de certaines dettes légales, mais invisibles, par exemple les dettes envers les amis et les membres de la famille. Ces dettes créent des fantômes au sein de l'entourage : on les voudrait invisibles alors qu'elles sont aussi apparentes qu'un piano à queue dans une petite cuisine !

Existe-t-il un moyen légal de contraindre le joueur, de le forcer à dépenser moins ?

Me Geoffroy : Il n'y a pas de « camisole de force » légale contre les excès d'un joueur ! Le proche ne peut pas faire déclarer un joueur excessif inapte à gérer ses finances, du moins pas contre son gré. Je lui suggère tout de même certaines mesures :

- Le proche peut inciter le joueur à recourir à un dépôt volontaire. Le palais de justice offre ce type de service.
- Le proche peut, dans un cas exceptionnel, intenter une procédure en interdiction contre le joueur. Mais comme il s'agit là d'une procédure de dernier recours, je lui conseille fortement de consulter auparavant.

Le proche doit-il porter des accusations au criminel contre un joueur qui vole son entourage ?

Me Geoffroy : De la part d'un proche, cette question relève davantage de la morale que du juridique. Comme principe général, retenons qu'il est bien d'intenter des procédures criminelles chaque fois qu'un crime est commis. Cela a pour effet d'envoyer un message clair au joueur : les proches ne tolèrent pas les actes illégaux. Le joueur qui se bute à des conséquences négatives à cause de son jeu cherchera peut-être de l'aide plus rapidement. Les procédures judiciaires ont parfois cet effet.

En résumé, le proche qui désire assurer sa protection financière doit faire tout ce qu'il peut pour connaître l'état actuel de ses finances. Dès qu'il se doute du jeu excessif de l'autre, il doit glaner l'information nécessaire et tenter de connaître l'étendue du problème. En prenant la responsabilité d'un budget, il pourra rapidement prévoir un plan de remboursement pour certaines dettes dont il a une coresponsabilité légale. En ce sens, la consolidation de dettes est une solution de remplacement intéressante à la faillite. Et si la faillite demeure une solution, elle ne sera envisagée qu'en dernier ressort et avec l'aide d'un syndic de faillite.

En complément à ce qui vient d'être mentionné, nous aimerions souligner la richesse de l'information qu'un proche peut trouver dans Internet. En faisant des recherches à l'aide des mots clés suivants, le proche peut accéder à des ressources en ligne :

- *Joueur, jeu excessif, jeu compulsif, jeu pathologique ;*
- *Proche, entourage, entraide, aide, groupe de soutien, traitement, thérapie.*

L'information est accessible, il faut en profiter !

Un dernier point et non le moindre : il est capital que l'entourage tienne une même ligne de conduite en ce qui a trait à l'argent. Un proche ne prêtera ni ne donnera de l'argent à un joueur. Lui donner de l'argent reviendrait à approvisionner un drogué en drogue. Le proche qui le désire offrira plutôt au joueur un toit pour dormir, une place à table ou l'invitera à prendre part à ses activités de loisir. Nous aborderons plus loin une façon affirmative de communiquer avec le joueur qui n'envenime pas les choses, mais sollicite plutôt sa collaboration.

Assurer son bien-être psychologique

Voyons à présent les mesures qui permettront au proche de prendre soin de sa sécurité psychologique.

Briser l'isolement

En général, la première attitude à privilégier lorsqu'on souffre, c'est de rechercher la présence des autres. Bien que l'isolement soit un mécanisme de défense normal en pareil cas, à long terme, il a la fâcheuse conséquence d'aggraver l'humeur dépressive et la détresse, car il renforce la perception que les problèmes qu'on vit sont exceptionnels, voire qu'on est le seul à les vivre.

Briser l'isolement, cela veut dire aller vers les autres pour parler enfin de ses problèmes. Le proche peut partager ce qu'il vit avec des amis, des membres de sa famille, des collègues de travail ou des ressources professionnelles. En brisant l'isolement, il se rendra vite compte qu'il n'est pas seul et que plusieurs sources d'aide s'offrent à lui.

L'exercice suivant permet de prendre conscience de l'aide qu'on peut trouver dans l'entourage.

EXERCICE : *LES GENS QUI PEUVENT AIDER*

Comme tout premier exercice, nous suggérons au proche de dresser une liste de personnes avec qui il peut communiquer afin de recevoir de l'aide et de briser l'isolement (voir l'exemple à la page suivante). Cette aide peut se traduire par une écoute attentive, un soutien financier, une prise en charge temporaire des enfants ou une simple sortie pour se changer les idées. Il est plus facile de briser l'isolement après avoir dressé une telle liste : en cas de besoin, on sait qui appeler, dans quel but précis et où joindre cette personne ou cet organisme. À conserver à portée de la main !

NOM DE LA PERSONNE	EN QUOI PEUT-ELLE M'AIDER ?	SON NUMÉRO DE TÉLÉPHONE
Jeu : aide et référence au Québec	*Information, référence et soutien*	1 866 767-5389
Denise	*Garder les enfants*	(514) 524-1333

En brisant l'isolement, le proche se donne des occasions de ventiler, de parler de ses problèmes, mais aussi de penser à lui-même. Cela lui permet de comprendre ses réactions, de saisir en quoi il est normal de vivre autant d'émotions contradictoires. Le proche qui va vers les autres ouvre des portes sur l'espoir. Il se donne des occasions de s'apaiser, tout en apprenant une foule de choses sur lui et sur les autres. En consolidant son filet de sécurité, il s'évite une chute vers l'impuissance et le désespoir. Nous incitons donc fortement tout proche d'un joueur en perte de contrôle à prendre le téléphone et à faire ce premier pas. Et qu'il soit rassuré : l'aide existe !

Les idées : nuisibles ou aidantes ?

La plupart du temps, ce sont les idées négatives, ou nuisibles, qui retiennent les proches de se confier et de demander de l'aide. C'est le cas de Lily. Examinons dès maintenant 10 idées qui la retiennent de chercher du soutien auprès des autres, de briser l'isolement. Nous considérons ces idées comme des idées nuisibles.

LES 10 IDÉES NUISIBLES DE LILY QUI BLOQUENT SA RECHERCHE D'AIDE

- « Personne ne peut comprendre ce que je vis. »
- « Personne ne voudra m'aider ni ne pourra vraiment me venir en aide. »
- « Je sais ce qu'ils me diront : "Tu n'as qu'à le quitter." »
- « Tant que le joueur ne prend pas conscience qu'il a un problème, il n'y a rien à faire. »
- « Comme j'ai coupé les ponts avec plusieurs, tous me rejetteront. »
- « Avec le temps, le joueur va finir par comprendre et il s'arrêtera de lui-même. »
- « Les personnes-ressources vont me juger négativement ou me blâmer. »
- « Comme c'est ma faute, c'est à moi de régler cela. Mes amis n'y peuvent rien. »
- « C'est lui qui a un problème de jeu, c'est à lui de chercher de l'aide. Ce n'est pas mon problème. Et puis, j'en ai déjà assez fait ! »

- « La situation est désespérée. La seule solution serait qu'il cesse de jouer, mais il n'y arrivera jamais. »

Lily se rend compte que son discours intérieur lui nuit. Elle s'aperçoit que, tant qu'elle entretiendra et nourrira de telles idées, elle restera isolée et s'empêchera de communiquer avec ses amis, les membres de sa famille ou les ressources d'aide de sa communauté. Voilà pourquoi elle décide de changer la façon dont elle se parle.

Lily s'efforce donc de modifier ses idées nuisibles, son discours intérieur qui la retient d'aller vers les autres. Elle sait que, pour changer ses attitudes, elle doit d'abord changer sa façon de penser. Voyons ensemble ce que Lily se dit afin de contrer les idées nuisibles qui la paralysent. Ces nouvelles idées sont, selon nous, des idées aidantes.

LES 10 IDÉES AIDANTES QUI POUSSENT LILY À BRISER L'ISOLEMENT

- « Il existe plusieurs personnes aptes à comprendre ce que je vis. Mes amis ont également vécu des choses difficiles par le passé. Ils ont l'expérience de la souffrance. »
- « En allant vers les autres, c'est à moi que je donne une chance. Il est préférable que je m'ouvre à mon réseau de relations. Et puis, plusieurs intervenants viennent en aide à des gens aux prises avec des difficultés reliées au jeu. Ils possèdent une formation et des outils qui aident les gens à trouver leurs propres solutions. Il y a même des groupes de soutien pour les proches des joueurs. »
- « Je ne peux prétendre savoir ce qu'une personne me dira pour m'aider. Il est peu probable qu'on m'impose de quitter le joueur comme seule solution possible. »
- « Suis-je en train de conclure trop vite quand je dis qu'il n'y a rien à faire tant que le joueur ne reconnaît pas son problème ? Peut-être puis-je influencer favorablement l'attitude de Simon par l'utilisation d'une communication différente. Qui sait ? »

- « Penser que les gens me rejetteront parce que j'ai coupé les ponts avec eux est peut-être une vision dramatique. Il se peut qu'ils soient davantage ouverts à m'aider que je ne le croie. »
- « Certains joueurs excessifs s'arrêtent d'eux-mêmes, et tous n'ont pas besoin de thérapie. Mais un joueur en perte de contrôle risque fortement de tout jouer. Il est préférable de ne pas compter sur le passage du temps pour voir une solution apparaître. Miser sur le temps seul n'est pas une bonne idée. Je préfère communiquer avec quelqu'un qui m'aidera. »
- « Les personnes-ressources n'ont aucun avantage à juger ou à blâmer les proches d'un joueur. Elles sont là pour les aider. Elles savent que seul le joueur est responsable de sa décision de jouer, qu'il en a la responsabilité entière. Il se peut que ce soit moi qui me juge trop sévèrement. Je crois à tort ne pas mériter leur aide. »
- « La perte de contrôle du joueur ne dépend pas de moi. Ce n'est aucunement ma faute. L'état "à chaud" du joueur, qui s'accompagne d'idées erronées et d'une conviction de gagner, en est responsable. L'aide de mes amis augmentera mon bien-être. J'y trouverai peut-être même quelques pistes pour mieux agir. »
- « Me dire que le problème de jeu ne me concerne pas, c'est me mentir à moi-même. Lorsqu'un joueur a un problème, tout son entourage en est affecté. Il est préférable que j'accepte l'idée que le problème de Simon est devenu un problème pour moi. Aussi, il importe que je découvre des façons de me protéger qui diminuent les conflits inutiles entre nous. »
- « La situation n'est jamais désespérée. Il est toujours possible d'adopter de nouvelles attitudes, de trouver des façons originales de composer avec le problème. Notamment, je peux prendre exemple sur d'autres proches qui ont vécu des problèmes de jeu et qui les ont surmontés. Toute période de crise est passagère. Il se peut que le joueur finisse par diminuer ses mises et que cela le motive à demander de l'aide par la suite. Tout est possible quand on brise l'isolement. »

En s'attaquant à ses idées nuisibles et en les remplaçant par des idées aidantes, Lily prend le gouvernail de sa vie. Elle comprend que la première façon de se changer consiste à modifier ses propres pensées. De même, nous suggérons au proche de faire le lien entre ce qu'il se dit, ses idées nuisibles ou aidantes, et ce qu'il fait. À l'évidence, les gens se comportent de façon cohérente avec leurs pensées. Voilà pourquoi il importe au proche de détecter les idées nuisibles, souvent automatiques, dont il n'a pas toujours conscience. Ces idées négatives apportent rarement des solutions efficaces. Tout au contraire, elles entraînent habituellement de mauvaises décisions.

Grâce à quelques exemples, voyons comment Lily établit le lien entre ses pensées et sa décision de demander ou non de l'aide.

Lily est anxieuse à l'idée de demander de l'aide par téléphone	
LES PENSÉES NUISIBLES	LA DÉCISION DE LILY
C'est à Simon de se faire soigner ! Je vais me faire juger négativement.	➤ Elle ne recherche pas d'aide.
Ce n'est pas mon problème. L'aidant va me dire de me mêler de mes affaires !	➤ Elle ne recherche pas d'aide.
Je dois m'en sortir seule. Je ne veux pas être la risée de tout le quartier !	➤ Elle ne recherche pas d'aide.

Lily se calme, puis passe à l'action	
LES PENSÉES AIDANTES	LA DÉCISION DE LILY
Le proche et le joueur ont besoin de soutien. *Oser demander de l'aide est un signe de courage.*	➤ Elle recherche de l'aide.
Je vis un problème en raison de son jeu. *C'est de mes affaires qu'il s'agit !*	➤ Elle recherche de l'aide.
En reconnaissant que j'ai besoin d'aide, je reconnais que le soutien est souvent nécessaire au changement. Personne ne rira de moi. L'aide est confidentielle.	➤ Elle recherche de l'aide.

Les idées nuisibles n'entraînent pas que de mauvaises décisions, elles engendrent aussi des émotions désagréables, notamment de la colère, de la tristesse et de l'anxiété. Examinons les pensées de Lily, une fois de plus, et les émotions qu'elles entraînent.

Lily est en colère devant le refus de Simon de consulter un spécialiste	
LES PENSÉES NUISIBLES	LA DÉCISION DE LILY
C'est un monstre. Il doit en payer le prix !	➤ Elle ne recherche pas d'aide.
Il le fait exprès. Il prend le contrôle sur moi de cette façon !	➤ Elle ne recherche pas d'aide.
Il m'empêche d'espérer tout changement !	➤ Elle ne recherche pas d'aide.

Lily se calme, puis passe à l'action	
LES PENSÉES AIDANTES	LA DÉCISION DE LILY
Je ne dois pas chercher un coupable ni tenter de punir Simon. Il est sous l'emprise d'idées erronées qui lui font perdre le contrôle. →	Elle recherche de l'aide.
Sous la perte de contrôle de Simon, il y a aussi une détresse. Il ne joue pas dans le but de m'agresser. →	Elle recherche de l'aide.
Que Simon consulte n'est pas la seule solution. *En me changeant moi, c'est ma vie que je changerai.* →	Elle recherche de l'aide.

Lily est triste parce qu'elle se croit responsable du jeu de Simon	
LES PENSÉES NUISIBLES	LA DÉCISION DE LILY
Jamais Simon ne s'en sortira. *Tout ça est de ma faute.* →	Elle ne recherche pas d'aide.
Je ne sais même plus ce qui est bon pour moi. →	Elle ne recherche pas d'aide.
Maintenant, tout est trop gros. *Je ne peux pas surmonter cela.* →	Elle ne recherche pas d'aide.

Lily se calme, puis passe à l'action	
LES PENSÉES AIDANTES	LA DÉCISION DE LILY
Il est possible pour un joueur de surmonter son problème de jeu. *Je ne suis pas responsable des idées erronées de Simon.*	➤ Elle recherche de l'aide.
En me recentrant sur mes besoins, je découvrirai davantage ce qui est bon pour moi. Il me sera possible de mettre en place un plan d'action.	➤ Elle recherche de l'aide.
Rien n'est insurmontable. *Avec du soutien et en prenant soin de moi, je serai capable de prendre les bonnes décisions pour moi.*	➤ Elle recherche de l'aide.

Lily a pris conscience lentement qu'elle peut agir sur son discours intérieur, qu'elle n'a pas à être la victime de ses idées nuisibles. Elle sait qu'elle peut briser l'isolement et qu'elle trouvera l'aide dont elle a besoin.

Le proche qui, à l'instar de Lily, fait des liens entre ses idées, ses émotions et ses décisions n'hésitera pas à changer son discours intérieur lorsque celui-ci est nuisible. Il a trop à y gagner ! Lorsqu'il remet en question ses propres idées, qu'il fait le lien entre elles et ses décisions, il est déjà dans l'action. Modifier ses idées nuisibles, c'est agir. C'est aussi se donner la possibilité de prendre de meilleures décisions et des mesures adéquates pour assurer sa sécurité. En brisant l'isolement, en allant à la rencontre des autres, le proche s'engage dans la résolution de ses problèmes.

Avant d'aller plus loin, voici l'histoire inspirante d'une joueuse de tennis.

LA JOUEUSE DE TENNIS

Elle était ambitieuse, la joueuse. Elle aspirait à devenir championne du monde! Elle jouait au tennis depuis qu'elle était toute jeune. Comme on dit, elle *avait ça dans le sang*.

Un jour, toutefois, elle se blessa à la main gauche, sa main pour jouer. Le médecin fut formel: jamais la blessure ne guérirait tout à fait. Déterminée plus que jamais, la jeune fille entreprit de devenir droitière. «Des habitudes, ça se change», se dit-elle. Elle ne se doutait pas que ses vieilles habitudes aussi seraient tenaces…

Malgré sa détermination et ses longues séances d'entraînement, la joueuse avait souvent le réflexe de prendre sa raquette de la main gauche. C'est donc volontairement, et avec effort, qu'elle la transférait chaque fois dans sa main droite. Mais elle gardait confiance et, avec le temps, elle finit par devenir droitière.

Bien sûr, son réflexe de gauchère ne disparut jamais complètement. Mais c'est de sa main droite qu'elle remporta son titre de championne. Elle avait bien raison d'être fière!

La balle est maintenant dans votre camp!

Comprendre ses émotions

Côtoyer un joueur en perte de contrôle provoque un stress chronique. Pas surprenant que les émotions du proche soient mises à rude épreuve et qu'il se sente rapidement submergé! Mais il peut en être autrement.

En apprenant à s'apaiser lui-même par le contrôle de ses pensées, le proche peut se libérer de ses idées nuisibles et diminuer de façon notable ses émotions désagréables. L'expérience clinique montre en effet que plus une personne s'exerce à contredire ses idées nuisibles, mieux elle se sent au quotidien. En conséquence, elle a davantage d'énergie pour s'engager dans un plan d'action qui vise à résoudre ses problèmes.

Pour guider le proche dans cet apprentissage, nous présentons, dans les pages qui suivent, l'«abc des émotions» selon l'approche cognitive en psychologie. Cette approche, à laquelle nous adhérons, peut se résumer ainsi : les pensées causent les émotions.

Un doute persiste? L'exercice suivant saura le dissiper… Pour ce faire, il suffit de fermer les yeux pendant 30 secondes en tentant de ressentir une vive colère. Il faut toutefois s'abstenir complètement d'avoir des idées colériques ou de penser à des choses qui font surgir de la colère. Que se produit-il? Évidemment, il est impossible de ressentir une émotion désagréable de colère sans avoir au même moment des idées, des images ou des scénarios de colère!

Nous utiliserons donc une méthode en trois étapes, appelée «réévaluation des idées automatiques ou nuisibles» (voir l'annexe 2):

- *Étape 1 : nommer l'émotion désagréable ressentie.* «Qu'est-ce que je ressens, au juste? Est-ce de la colère? de la tristesse? de la honte?»
- *Étape 2 : identifier les idées nuisibles.* «Quelles sont les idées que j'entretiens et qui causent cette émotion? Qu'est-ce que je me dis pour me sentir tellement en colère ou triste?» En se questionnant ainsi, le proche devient l'observateur de ses idées, de son discours intérieur. Il rend conscientes les idées nuisibles qu'il entretient, souvent sans même s'en apercevoir. Nous lui suggérons de les noter sur un bout de papier.
- *Étape 3 : remplacer les idées nuisibles par des idées aidantes.* À cette étape, le proche doit souvent faire un débat avec lui-même : il doit laisser aller de vieilles façons de penser pour en adopter de nouvelles. L'exercice n'est pas facile, mais il lui permettra de diminuer l'intensité de ses émotions.

Encore une fois, Lily vient prêter main-forte par son témoignage. Elle s'exerce à réévaluer ses idées nuisibles, car elle s'est rendu compte qu'elles la rendaient émotive. Elle prend donc l'habitude d'écrire sur un bout de papier les premières idées qui lui viennent en tête dès qu'elle ressent une émotion désagréable. Puisqu'elle fait le lien entre ses idées nuisibles, ses émotions désagréables et ses décisions, elle ne voit que des avantages à les modifier par des idées aidantes. Et comme la joueuse de tennis qui combat un ancien réflexe, elle sait qu'elle y parviendra avec la répétition.

RÉÉVALUATION DES IDÉES AUTOMATIQUES (NUISIBLES)

Étape 1 : nommer l'émotion (colère, tristesse, honte…).
* *Je me sens triste.*

Étape 2 : identifier les idées nuisibles.
* *Je me dis spontanément que j'ai déjà demandé de l'aide, mais que l'intervenante était vraiment mauvaise. Alors, j'en conclus que cela est inutile. Personne ne peut rien pour moi.*

Étape 3 : remplacer les idées nuisibles par des idées aidantes.
* *Je pourrais me dire à la place que ces idées me sont nuisibles parce qu'elles me font sentir défaitiste. Toutes les intervenantes ne sont pas pareilles. Il doit bien en exister une qui me conviendra. Il est plus aidant pour moi de me dire cela. Cela m'aidera à briser l'isolement.*

Après avoir fait cet exercice de réévaluation, Lily se sent beaucoup moins triste. En réalité, elle se sent comme elle se parle et cela la prédispose à agir dans son propre intérêt.

Nous proposons maintenant au proche de compléter l'étape 3 dans l'exemple suivant en transformant les idées nuisibles en idées aidantes. Bien sûr, plus il s'appropriera ce type d'exercice, plus il ressentira l'espoir d'un changement favorable.

EXERCICE : *RÉÉVALUATION DES IDÉES AUTOMATIQUES (NUISIBLES)*

Étape 1 : nommer l'émotion (colère, tristesse, honte…).
• *Je me sens en colère.*

Étape 2 : identifier les idées nuisibles.
• *Je me dis que j'en veux au joueur d'être si irresponsable, de ne penser qu'à lui. Il n'a aucune raison de jouer comme cela. C'est injuste, je ne mérite pas cela !*

Étape 3 : remplacer les idées nuisibles par des idées aidantes.
• *Je pourrais me dire à la place que…*

_____

_____

_____

_____

_____

Voici, à titre indicatif, les idées aidantes que Lily a trouvées pour remplacer ses idées nuisibles de colère. Bien sûr, elle s'est souvenue de ce qu'elle a lu dans les deux parties précédentes de ce livre.

Étape 3 : remplacer les idées nuisibles par des idées aidantes.
• *Je pourrais me dire à la place que ces idées me nuisent parce qu'elles ne m'aident pas à résoudre mon problème. Je pourrais me dire que Simon fait des gestes irresponsables quand il est dans un état « à chaud ». Ses idées erronées et sa conviction de gagner lui font prendre de mauvaises décisions. Lorsqu'il est émotif, il bascule du côté des illusions. Il perd son raisonnement logique. Il ne fait pas cela contre moi. Certes, cette situation m'est pénible, mais ce n'est pas une injustice. Je peux cesser de voir Simon comme un agresseur, car il porte aussi la souffrance de ses pertes de contrôle. Je dois, par ailleurs, assurer ma sécurité financière et psychologique. En identifiant ce dont j'ai besoin, je pourrai mettre en place un plan d'action.*

Pas de doute, les idées automatiques sont souvent nuisibles. Lily le voit bien. Plus elle fait des exercices de réévaluation, plus elle s'apaise. Elle gagne même de l'assurance à les faire. C'est pourquoi nous convions toute personne à appliquer cette stratégie de réévaluation des idées à l'émotion qu'il vit en ce moment. Surtout, il ne faut pas hésiter à en discuter avec quelqu'un d'autre. Les amis aident souvent à voir les choses autrement. Sans s'en rendre compte, ils participent à la transformation des idées nuisibles en idées aidantes.

EXERCICE : *RÉÉVALUATION DES IDÉES AUTOMATIQUES (NUISIBLES)*

Étape 1 : nommer l'émotion (colère, tristesse, honte…).
• *Je me sens…*

_____

Étape 2 : identifier les idées nuisibles.
• *Je me dis que…*

_____
_____
_____
_____
_____

Étape 3 : remplacer les idées nuisibles par des idées aidantes.
• *Je pourrais me dire à la place que…*

_____
_____
_____
_____
_____

Bien qu'il paraisse simple, cet exercice n'est pas toujours facile à faire. On se souvient que la joueuse de tennis trouvait également difficile de se départir de son réflexe naturel. Plusieurs personnes se font aider par des intervenants spécialisés pour bien assimiler cette approche. D'ailleurs, la majorité des interventions en thérapie cognitive se concentrent sur ce type d'exercice. Pour celui qui comprend bien l'exercice de réévaluation, la répétition est son meilleur allié.

Nous suggérons en fait à tout proche de répéter cet exercice le plus souvent possible. Plus il sera habile à transformer ses idées nuisibles en idées aidantes, plus il se sentira apaisé. Ce calme l'aidera ensuite à reprendre contact avec ses besoins réels et à fixer ses limites.

DEUXIÈME OBJECTIF : FIXER SES LIMITES

Il est possible, et même nécessaire, d'apprendre à fixer ses limites à l'endroit d'un joueur en perte de contrôle. Cette attitude aidera le proche à assurer sa sécurité financière et psychologique.

Le stress que vit un proche dépend souvent de sa difficulté à établir une frontière entre sa responsabilité et celle du joueur. En effet, particulièrement au cours de la phase de stress, le proche oscille entre deux pôles : parfois il fait tout pour le joueur, parfois il se désengage de lui en l'ignorant totalement. Mais ni l'une ni l'autre de ces stratégies n'est payante à long terme ; tous y perdront. Le proche qui ne fixe pas ses limites risque de vivre dans un climat propice aux émotions désagréables, aux conflits et, dans bien des cas, à l'épuisement.

Examinons les attitudes favorables à l'établissement de la limite de sa responsabilité.

ATTENTION !

Nous recommandons au proche qui traverse une phase d'épuisement de briser l'isolement avant de penser à fixer ses limites. Ce proche a besoin d'aide.

Prendre une saine distance et penser à soi

La phase de stress entraîne plusieurs proches à s'oublier pour l'autre, voire à faire fi de leurs propres besoins. Ils perdent de vue l'importance de faire des choses pour eux. Toute leur vie tourne autour du joueur, du jeu et de ses conséquences. Ils oublient que tout être humain, y compris eux-mêmes, a besoin de se ressourcer, de refaire en lui une réserve d'énergie. Or, lorsque le proche ne vit que centré sur le joueur, plus rien n'arrive à lui insuffler cette énergie.

À l'opposé, certains proches se désengagent complètement : ils ignorent le joueur et les problèmes qu'il cause. Cette attitude augmente rarement leur niveau d'énergie. En effet, le désengagement à l'égard du joueur, tout comme sa prise en charge totale, dénote une difficulté du proche à fixer ses limites. Par conséquent, les problèmes s'accumulent et l'insécurité s'installe.

Bref, ces deux options risquent d'entraîner le proche de la phase de stress à la phase d'épuisement.

Pour refaire le plein d'énergie, le proche doit prendre une saine distance par rapport au joueur. De cette façon, il demeurera disponible pour résoudre les problèmes qui se présentent. Le proche qui pense à lui-même ne prend pas tout sur ses épaules, mais il ne fait pas non plus comme si tout allait bien. Il ne vit pas dans l'illusion que le problème de jeu n'existe pas ou qu'il se réglera tout seul. Celui qui prend une saine distance du joueur n'assume que sa part de responsabilités.

Penser à soi, c'est se dire oui, c'est faire des choses par plaisir. Voici quelques exemples :
- Marcher en montagne ;
- Téléphoner à un ami ;
- Déjeuner au restaurant ;
- Lire dans un café ;
- Faire des mots croisés ;
- Assister à l'enregistrement d'une émission de télévision ;
- Participer aux activités offertes dans sa communauté ;
- Louer un film ;
- Aller au cinéma ;
- Écrire… un poème, un roman, un essai ;
- Peindre une toile ;
- Prendre un bain moussant ;
- Renouer avec d'anciennes passions.

Nous convenons qu'il est difficile pour un proche qui traverse une éprouvante période de stress de tenir compte de ses besoins. Il n'en demeure pas moins que ce défi figure parmi les plus importants qu'il aura à relever. Rappelons à cet effet l'expérience de la joueuse de tennis : tout est possible lorsqu'on persévère !

Penser à soi, c'est parfois aussi dire non au joueur de diverses façons :

- Ne pas payer les dettes qui le concernent uniquement ;
- Ne pas mentir afin de lui éviter des problèmes ;
- Ne pas le couvrir auprès des autres ;
- Ne pas accepter ses blâmes ;
- Ne pas lui prêter d'argent ;
- Ne pas accepter les cadeaux qui proviennent de ses gains au jeu ;
- Ne pas l'accompagner au jeu.

Il est important pour un proche d'identifier les idées nuisibles qui pourraient l'empêcher de penser à lui-même. Voici à ce propos quelques idées nuisibles entretenues par Lily. Tant qu'elle ne les remplacera pas par des idées aidantes, elle demeurera dans l'inaction et aura de la difficulté à prendre bien soin d'elle-même.

Réévaluation des idées automatiques (nuisibles)

Étape 1 : nommer l'émotion (colère, tristesse, honte…).

- *Je me sens anxieuse et stressée par rapport à Simon.*
- *Je me sens en même temps coupable de vouloir penser à moi.*

Étape 2 : identifier les idées nuisibles.

- *Comment me sentirais-je si Simon se suicidait par manque d'argent ? Je dois lui donner de l'argent lorsqu'il m'en demande. Je ne peux pas en utiliser pour moi. En plus, je dois surveiller ce qu'il fait. Ce serait irresponsable de m'éloigner de lui.*

Analysons les pensées automatiques et nuisibles de Lily. Il existe un lien direct entre ce type d'idées et les émotions d'anxiété, de stress et de culpabilité. Peut-on prédire quels seront les comportements de Lily tant qu'elle se tiendra un tel discours intérieur ? Il est fort probable qu'elle choisira de vivre avec Simon en se refusant de penser à elle. Elle a donc avantage à remplacer ses idées nuisibles par des idées aidantes. Examinons ce qu'elle préfère maintenant se dire.

Étape 3 : remplacer les idées nuisibles par des idées aidantes.
- *Je pourrais me dire à la place qu'il peut être bon que j'accepte de le voir souffrir un peu. La souffrance est un bon levier de la motivation à changer. Lui prêter de l'argent ne fait que reporter le problème à plus tard. Comme mon désir n'est pas de sombrer avec lui, il est inutile que je lui donne un seul sou. Je dois protéger mes finances. Je lui donnerai toutefois les raisons de mon refus. J'en profiterai pour lui réaffirmer mon désir de le soutenir. Je lui rappellerai qu'il existe de l'aide pour les joueurs en difficulté. Quant à mes craintes qu'il se suicide, je vais lui en parler directement. Je prendrai le temps de vérifier s'il y pense, s'il est en danger. Le cas échéant, je me rassurerai en appelant immédiatement un centre de crise pour personne suicidaire. Tant que je désire vivre avec Simon, je dois trouver l'équilibre entre le prendre en charge et me désengager complètement de lui. Il m'est inutile de constamment vouloir le surveiller. «À chaud», le joueur qui veut jouer ira jouer. La décision ultime lui appartiendra toujours. De mon côté, je peux prendre la décision de faire garder les enfants et de retourner voir mon amie Claire. Il est bon de ne pas m'isoler. Pour l'instant, je préfère travailler à mon autonomie. Je pense à moi !*

Grâce à ses idées aidantes, on le constate, Lily ressent de l'apaisement. Peut-on maintenant prédire quels comportements elle adoptera tant qu'elle pensera de la sorte ? Comme cet exercice n'est pas naturel au début, nous suggérons de le faire par écrit. Le fait de mettre sur papier les idées nuisibles permet de les identifier plus facilement ; de même, le fait d'écrire les nouvelles idées aidantes et les décisions qui en découlent permet de les intégrer plus aisément. Seule la répétition de cet exercice permet de chasser les idées automatiques ou nuisibles. Penser à soi, c'est penser différemment !

Prendre soin de soi n'est pas une mince tâche pour l'entourage d'un joueur en perte de contrôle. Aussi, le proche qui parvient à se dire oui, et parfois à dire non au joueur, installe graduellement les balises de sa responsabilité. En prenant une saine distance du joueur, il fixe certaines limites. Nous savons toutefois que, pour éviter les conflits inutiles, les climats négatifs et les émotions désagréables, le proche doit aussi apprendre à communiquer ses attentes. Entre la passivité et la prise en charge, il peut trouver un équilibre dans l'affirmation de soi.

Apprendre à communiquer de façon affirmative

Un proche peut vivre beaucoup d'émotions négatives à l'égard du joueur. Bien que ces émotions soient normales, elles sont l'expression d'une détresse. Il est donc préférable que le proche leur porte une attention spéciale. En évitant de se laisser envahir par les émotions, il pourra communiquer ses attentes au joueur d'une façon affirmative.

Il existe une règle immuable en matière d'affirmation de soi : l'expression de la colère, du mépris ou de la rancune provoque chez l'autre une réaction inverse à celle souhaitée, comme l'illustre l'histoire suivante.

LE MAÎTRE ET SON CHIEN

Le maître du chien est impatient. Il veut éviter l'orage qui se pointe devant lui et filer droit vers la maison. Son chien, lui, n'en a que pour les fleurs qui jalonnent la route. Plus le maître tire sur la laisse, plus le chien résiste. Il finit par s'opposer carrément et par se braquer. Il préfère ne pas avancer contre son gré, au risque d'un étranglement.

Saisir l'ouverture à la communication

Communiquer en s'affirmant, cela ne veut pas dire imposer à l'autre tout ce qu'on veut ; cela veut dire exprimer clairement ses attentes. Pour ce faire, le proche doit reconnaître les moments propices à la communication. Sait-il saisir l'ouverture à la communication, la sienne et celle du joueur ? Voici quelques repères à ce sujet.

Avant l'amorce d'une communication, le proche s'assurera :
- d'être bien disposé et en forme ;
- de ne pas être trop émotif ;
- d'être bien préparé quant à ce qu'il aura à dire, donc de résister à l'impulsion de tout dire ;
- d'être enclin à écouter ;
- d'être disposé à entendre des choses inattendues ;
- de ne pas se sentir accusateur.

Quant au joueur en perte de contrôle, il est rarement réceptif à la communication. Toutefois, il offre à l'occasion une certaine ouverture. Il s'agit pour le proche de savoir la saisir. Le joueur se montre parfois ouvert à la communication lorsqu'il :
- manifeste une détresse ;
- exprime une certaine culpabilité ;
- est dans un état « à froid », donc non envahi par une conviction de gagner ;
- s'informe de votre changement d'attitude ou de comportement ;
- se dit en confiance ;
- parle spontanément de ses difficultés de jeux ;
- n'est pas en présence d'un élément qui peut déclencher son goût de jouer, soit :
  - l'arrivée prochaine d'une paie,
  - la réception d'une facture,
  - une querelle,
  - une période d'ennui,
  - un moment particulier du mois, de la semaine ou de la journée qu'il associe au jeu,
  - une émotion intense de joie.

Saisir l'ouverture à la communication revient à cueillir les fraises lorsqu'elles sont mûres. En toutes choses, il y a un moment préférable, une ouverture qui mène au succès.

Éviter certains pièges

Le proche qui veut communiquer de façon affirmative devra éviter de multiples pièges. En effet, la communication étant un échange entre deux personnes, il se peut que tout ne se déroule pas comme prévu. Avant toute communication avec le joueur, le proche doit donc se rappeler qu'il est nuisible de :

- lui faire des critiques ou de le dénigrer ;
- lui tenir un discours hostile ;
- le menacer et lui faire du chantage ;
- lui faire la morale ;
- l'affronter rudement ;
- le punir ;
- se plaindre.

Ces précautions aideront le proche à exprimer clairement ses attentes au joueur.

Cerner ses attentes et nommer le plus petit changement souhaité

Avant de dire au joueur ce qu'il aimerait comme changement, le proche doit bien cerner ses attentes. Pour ce faire, il doit se demander ce qu'il veut *concrètement*. Chaque attente devrait être réaliste, claire et précise.

Lorsqu'il s'adresse au joueur, le proche doit cibler un petit changement de comportement, sans s'attaquer à sa personnalité. Le fait de cibler le changement le plus petit possible permettra au joueur de réussir plus aisément ce premier pas, qui mènera à un deuxième pas, puis à un troisième, et ainsi de suite. Si le proche demande un changement trop grand, le joueur peut se sentir incapable, voire découragé, dès le départ et s'y opposer.

En somme, la communication affirmative, c'est l'art de faire une demande précise qui cible un petit changement chez l'autre.

Lily partage avec nous quelques-unes des demandes qu'elle a adressées récemment à Simon. Elle voit de plus en plus l'utilité de préciser chacune de ses attentes et de ne proposer que le plus petit changement possible. Elle se rend compte que cette préparation est bien utile : elle l'aide à être moins impulsive et à diriger la communication dans le bon sens.

> *Lily* : « J'aimerais que tu amènes les enfants au parc ce mercredi soir, 20 minutes seulement. »

Dans cet exemple, Lily n'attaque pas la personnalité de Simon en lui disant qu'il est égoïste parce qu'il délaisse ses enfants, ou qu'il est indigne dans son rôle de père. Au contraire, Lily nomme une seule attente, un seul petit changement de comportement qu'elle considère comme réaliste. Il en va de même pour tout type de demande adressée à un joueur en perte de contrôle. Voici d'autres exemples :

> *Lily* : « J'aimerais que tu prennes 20 minutes pour regarder le budget que je viens de faire. »

> *Lily* : « J'aimerais que nous allions prendre un café ensemble, ce samedi matin, que tu me consacres 30 minutes de ton temps. »

> *Lily* : « J'aimerais que tu prennes 10 minutes pour lire le dépliant qui traite de l'importance de faire un budget. »

> *Lily* : « Je vais participer à un groupe d'entraide pour les proches d'un joueur. Demain matin, j'aimerais que tu me réserves 15 minutes afin que je puisse t'en faire un résumé. »

La première étape d'une communication affirmative consiste à saisir l'ouverture, puis à nommer au joueur une petite attente concrète quant à son comportement. La seconde étape vise à motiver le joueur à collaborer ; pour ce faire, le proche peut mentionner comment le changement désiré s'avérera positif dans la vie de chacun.

Nommer ce que le changement apportera pour soi et pour l'autre
Après avoir cerné et nommé son attente, le proche peut dire en quoi le changement désiré sera bon pour le joueur et pour lui-même. Reprenons les exemples tirés de la vie de Lily :

> *Lily* : « J'aimerais que tu amènes les enfants au parc ce mercredi soir, 20 minutes seulement.
> « Cela me laissera un peu de temps pour moi. Il se peut qu'en reprenant contact avec tes enfants tu y trouves toi-même une source de plaisir. Nous y gagnerons tous. »

Il est peu probable que cette manière de communiquer entraîne des réactions agressives chez le joueur. Cependant, si c'était le cas, nous recommandons au proche de mettre un terme à la communication et de réitérer sa demande lors d'un autre moment d'ouverture. Le fait de prendre une attitude d'écoute et d'éviter de répliquer atténue généralement l'agressivité naissante chez l'autre. L'escalade de l'agressivité est inutile à la résolution des problèmes.

> *Lily* : « J'aimerais que tu prennes 20 minutes pour regarder le budget que je viens de faire.
> « De cette façon, je ne suis pas seule à veiller à la sécurité de la famille. Cela me donnera aussi l'espoir d'un retour à la normale. Il se peut qu'en lisant le budget tu voies de façon plus précise où nous en sommes en ce moment. »

> *Lily* : « J'aimerais que nous allions prendre un café ensemble, ce samedi matin, que tu me consacres 30 minutes de ton temps.
> « De cette façon, je me rassurerai sur le fait que tu ne m'abandonnes pas au profit des jeux. Cela me donnera peut-être le désir de t'épauler encore. De ton côté, tu

reprendras peut-être le goût des activités en commun. Qui sait?»

Ces deux exemples illustrent comment Lily s'y prend pour fixer ses limites: elle cerne bien chaque attente et nomme calmement un petit comportement qu'elle aimerait voir apparaître ou disparaître chez Simon. Ensuite, elle donne les raisons qui motivent sa demande afin de maximiser ses chances de voir Simon collaborer.

Lily sait que fixer ses limites auprès d'une autre personne demande une certaine préparation. De plus, elle n'attaque pas la personnalité de Simon; elle s'attarde plutôt à faire valoir à ses yeux le positif de sa demande. Par-dessus tout, elle demeure calme. Elle ne fait que nommer un comportement, comme s'il s'agissait de décrire les détails d'une robe. Voyons deux autres de ses demandes à Simon.

Lily: «J'aimerais que tu prennes 10 minutes pour lire le dépliant qui traite de l'importance de faire un budget.
«De cette façon, je verrai que tu collabores, que tu cherches à améliorer notre situation. Aussi, je me sentirai soutenue. De ton côté, cela te donnera l'heure juste sur notre situation financière.»

Lily: «Je vais participer à un groupe d'entraide pour les proches d'un joueur. Demain matin, j'aimerais que tu me réserves 15 minutes afin que je puisse t'en faire un résumé.
«De cette façon, je me sentirai authentique. De ton côté, tu auras un écho de ce qui me préoccupe. Cela nous donnera peut-être une occasion de parler de nous.»

Le proche qui s'affirme calmement peut influencer le cours des choses. Dans certains cas, cela peut motiver le joueur à entreprendre un traitement, à diminuer les mises et même à s'abstenir de jouer. Cependant, rien n'est magique. Le changement se fait graduellement.

Nous tenons à le redire : *tout ce que le proche fait, il doit le faire avant tout pour lui-même.* En assurant sa sécurité financière et psychologique, en fixant ses limites de façon affirmative, le proche peut reprendre graduellement le contrôle de sa vie et tenir compte de ses propres besoins. Que veut-il réellement ? Poursuivre ainsi ? Rompre toute relation avec le joueur ? Obtenir une plus grande collaboration de sa part ? Peu importe l'option, le proche visera le plus petit pas vers cet objectif. Il transformera son attente en un petit comportement à modifier. Nous convions maintenant le proche à écrire ci-dessous une attente à l'égard du joueur, puis ce que cette attente peut apporter à l'un et à l'autre.

EXERCICE : *COMMUNICATION AFFIRMATIVE*

Étape 1 : cerner et nommer le plus petit changement souhaité.

_____

_____

_____

_____

_____

Étape 2 : mentionner en quoi cela sera bénéfique pour lui et pour l'autre.

_____

_____

_____

_____

_____

Fixer ses limites et les partager calmement relèvent davantage de l'apprentissage que du spontané. Il est essentiel de se préparer avant de nommer une attente à un joueur en perte de contrôle. Il importe aussi d'observer et de saisir le bon moment pour le faire. Ce moment venu, il faut s'exprimer dans le respect en évitant certains pièges à la communication, un discours méprisant, par exemple. L'habileté à fixer ses limites est la plus précieuse des attitudes contre l'épuisement.

Stimuler la collaboration du joueur

Évidemment, le proche qui fixe ses limites peut espérer de meilleurs résultats s'il a, en plus, la collaboration du joueur. Oui, il est tout à fait possible d'influencer le joueur et de stimuler sa collaboration. Par exemple, le joueur peut reprendre certaines responsabilités qu'il a laissées tomber au profit du jeu ; il pose alors un pas dans la bonne direction, celle de la responsabilisation, objectif ultime à tout cheminement de joueur.

Le proche doit cependant se garder de nourrir des attentes trop élevées, par exemple que le joueur cesse immédiatement de jouer et qu'il recherche de l'aide sur-le-champ. Il est plus utile de se fixer des objectifs plus petits, comme celui d'éveiller le joueur au fait qu'il joue trop. Certains joueurs nient pendant longtemps qu'ils ont un problème de jeu. Et, aussi incroyable que cela puisse paraître, plusieurs d'entre eux ne se rendent même pas compte qu'ils jouent trop ! Cette prise de conscience doit avoir lieu avant toute chose. Voici donc quelques conseils pour éveiller le joueur au fait qu'il joue trop. Le proche :

- peut lui avouer son inquiétude concernant la somme d'argent qu'il dépense au jeu ;
- évite de parler de maladie et de le traiter de joueur compulsif, excessif, pathologique, malade ou dépendant. Les étiquettes rebutent les gens ;
- lui parle davantage de budget que de problème de jeu. Par exemple, il peut mentionner qu'il ne comprend pas pourquoi ils n'arrivent plus financièrement tout en laissant le joueur faire ses propres liens et tirer ses propres conclusions. Peut-être ce dernier fera-t-il un lien entre les difficultés financières et les mises qu'il perd au jeu ?
- peut aborder le problème actuel d'argent ou celui qu'il pressent. Il peut ajouter qu'il serait approprié de rencontrer un

conseiller financier. Étonnamment, le joueur accepte davantage l'idée qu'il a un problème d'argent qu'un problème de
jeu ;

- peut lui offrir de participer à une évaluation générale de sa
santé, de rencontrer son médecin de famille ou un spécialiste
des jeux. Peut-être joue-t-il en raison d'un problème qui lui
est inconnu ? Peut-être est-il déprimé ? Peut-être joue-t-il pour
diminuer un stress ?

- répète souvent ses attentes envers le joueur en utilisant la
communication affirmative ;

- mentionne souvent son désir de le voir collaborer ;

- prend le temps de le féliciter lorsqu'il joue moins. Il ne faut
pas passer ce fait sous silence ;

- prend le temps de faire des liens entre ce que le joueur fait de
bien et sa propre réaction, par exemple en disant : « Si ce soir
tu me vois souriante et bien dans ma peau, c'est que tu n'es
pas allé jouer aujourd'hui » ;

- s'efforce de ne pas encourager le joueur à jouer. Au contraire, il :
  - ignore les gains qu'il fait au jeu,
  - n'accepte pas l'argent des gains,
  - ne l'accompagne jamais à une séance de jeu (ce serait
  comme amener à la plage un ami qui a le cancer de la
  peau !),
  - cesse de consommer des produits de jeu, par exemple en
  s'abstenant d'acheter des billets de loterie.

TROISIÈME OBJECTIF : TENIR UN JOURNAL QUOTIDIEN

Certes, toutes les stratégies que nous venons de voir sont importantes, mais conduisent-elles le proche où il veut aller ? Lui permettent-
elles d'atteindre son but ? Le proche ne doit pas faire comme
l'abeille qui, prisonnière d'un pot ouvert, utilise sans cesse et avec
plus de force une stratégie qui ne fonctionne pas. À force de se
lancer contre les parois de verre, l'abeille ne voit pas la solution qui
s'offre à elle : regarder vers le haut et sortir du pot. Ainsi, le proche

va-t-il dans la direction qu'il souhaite ou se heurte-t-il sans cesse aux refus de collaborer du joueur?

Afin d'aider le proche à maintenir le cap sur son objectif et à avoir une idée exacte de l'évolution de son plan d'action, nous lui proposons de tenir un journal personnel. Véritable miroir de sa situation, ce journal lui permettra d'ajuster ses objectifs, au besoin, et de renouveler ses choix en conséquence. Par bonheur, il lui évitera de demeurer prisonnier de solutions qui ne fonctionnent pas.

À la lecture de la grille d'auto-notation proposée, le proche reconnaîtra les mesures de résolution de problèmes déjà vues. Nous lui conseillons d'adapter cette grille à ses besoins, par exemple en ajoutant les éléments qu'il désire noter et en retirant ceux qu'il juge de moindre importance. Comme cette grille facilitera l'atteinte de ses objectifs, jour après jour, il a donc avantage à la rendre conforme à ses besoins, à son style.

JOURNAL QUOTIDIEN

Aujourd'hui : _____

Mes finances sont protégées. ⟶ 0 à 10[1] : _____
Précisions :
_____
_____
_____

J'ai brisé l'isolement ou demandé ⟶ 0 à 10 : _____
de l'aide.
Précisions :
_____
_____
_____

J'ai fait des exercices de réévaluation ⟶ 0 à 10 : _____
de mes idées automatiques nuisibles[2].
Précisions :
_____
_____
_____

J'ai pensé à moi. ────────────────▶ 0 à 10 : _____
Précisions :

_____
_____
_____

J'ai nommé une attente claire au joueur. ──▶ 0 à 10 : _____
Précisions :

_____
_____
_____

Le joueur a collaboré à ma demande. ───▶ 0 à 10 : _____
Précisions :

_____
_____
_____

Mon objectif pour demain :

_____
_____
_____

1. 0 = *pas du tout ; 10 = totalement.*
2. *Plus on fait des exercices de réévaluation, plus on s'apaise…*

Dans un désir d'éclairer le proche sur la façon de remplir son journal quotidien, Lily accepte de partager son auto-notation d'hier.

JOURNAL QUOTIDIEN

Aujourd'hui : *23 juillet*

Mes finances sont protégées.   0 à 10[1] : __7__
Précisions :
Simon respecte la mesure de dépôt volontaire.

_____
_____

J'ai brisé l'isolement ou demandé de l'aide. ➤ 0 à 10: ___3___
Précisions:
J'ai encore parfois l'impression qu'on me juge sévèrement.

J'ai fait des exercices de réévaluation ➤ 0 à 10: ___0___
de mes idées automatiques nuisibles[2].
Précisions:
Je n'avais pas le goût. Je sais pourtant que cela m'aide.

J'ai pensé à moi. ➤ 0 à 10: ___8___
Précisions:
Je me suis offert une sortie au cinéma.

J'ai nommé une attente claire au joueur. ➤ 0 à 10: ___10___
Précisions:
Je lui ai affirmé mon désir qu'il répare le balcon.

Le joueur a collaboré à ma demande. ➤ 0 à 10: ___8___
Précisions:
Simon accepte de plus en plus ses responsabilités de conjoint et de père de famille.

Mon objectif pour demain:
J'aimerais éveiller Simon à l'importance qu'il consulte. Je lui en parlerai avec respect.

---

1. *0 = pas du tout; 10 = totalement.*
2. *Plus on fait des exercices de réévaluation, plus on s'apaise…*

À l'aide de son journal quotidien, Lily se rend compte de ce qui évolue, stagne ou régresse dans son plan de résolution de problèmes. Cela lui permet d'agripper plus facilement le gouvernail de sa vie et de donner les coups de barre voulus. Parce qu'elle utilise les stratégies qui assurent sa sécurité, Lily n'est plus à la merci de la perte de contrôle au jeu de Simon. Elle fait désormais des choix avertis. Veut-elle poursuivre ainsi ou changer radicalement sa façon de faire ? Qu'elle désire aider Simon, le quitter ou simplement rajuster son tir, le journal quotidien demeure un guide de choix pour elle.

Pour l'instant, Lily décide de demeurer auprès de Simon. Elle ne désire ni le prendre en charge ni se désengager de lui et faire comme s'il n'était plus là. Elle sait cependant que des vagues sont à prévoir et que les retours au jeu sont inévitables, pour un certain temps du moins. En maintenant l'habitude d'écrire son journal quotidien, Lily pourra, chaque jour, renouveler ou non sa décision d'accompagner Simon. En prenant le temps de relire son journal quotidien, elle pourra également pointer ce qu'elle peut améliorer chez elle.

Lorsque Lily se penche sur son auto-notation d'hier, elle détecte rapidement l'importance de réévaluer ses idées nuisibles et se remet à la tâche. Pour s'exercer, elle choisit le dernier retour au jeu de Simon, celui de la semaine passée.

RAPPEL : RÉÉVALUATION DES IDÉES AUTOMATIQUES (NUISIBLES)

Étape 1 : nommer l'émotion (colère, tristesse, honte…).
• *Je me sens en colère.*

Étape 2 : identifier les idées nuisibles.
• *Je me dis que je devrais davantage contrôler les sorties de Simon. Qu'il ne devrait plus jamais jouer ! Qu'il est lâche et insensible. Pour le moment, je le déteste d'être égoïste au point d'en oublier notre sécurité.*

Étape 3 : remplacer les idées nuisibles par des idées aidantes.
• *Je pourrais me dire, que tant que je choisirai de l'accompagner, je devrai m'attendre à des retours au jeu. Le changement est un processus graduel. Je devrai noter dans mon journal la volonté réelle de*

Simon de changer ou non. Chaque jour, ma décision de l'accompagner est à renouveler. Puisque le joueur voit un retour au jeu comme un échec, il m'est inutile d'en rajouter, de mépriser Simon. Je vais m'en tenir à une attitude affirmative envers lui. Encore une fois, ce n'est pas ma faute s'il joue. Personne ne peut contraindre un joueur de ne pas jouer, la décision ultime lui appartient. Les mesures qui visent à le contrôler contre son gré sont vouées à l'échec. Je pourrais toutefois prévoir davantage d'activités plaisantes avec et sans Simon. Ces activités sont souvent incompatibles avec le jeu. Pour l'instant, je dois éclairer mon choix, en tenant à jour mon journal…

Pour terminer cette section, nous vous présentons un aide-mémoire qui résume l'établissement d'une stratégie de résolution de problèmes efficace.

AIDE-MÉMOIRE
Établir une stratégie de résolution de problèmes

Premier objectif : assurer sa sécurité financière et psychologique
- Protéger ses finances en cherchant l'information pertinente et en établissant un budget.
- Briser l'isolement en recherchant du soutien et en assurant son bien-être psychologique par des exercices de réévaluation des idées nuisibles.

Deuxième objectif : fixer ses limites
- Prendre une saine distance par rapport au joueur en pensant à soi.
- Cerner puis nommer calmement une attente. Apprendre à saisir l'ouverture à la communication affirmative. Éviter certains pièges à la communication.
- Stimuler la collaboration du joueur par des attitudes favorables.

Troisième objectif : tenir un journal quotidien
- Écrire son journal chaque jour.
- Lire son journal afin de faire des choix avertis.

Conclusion

Prendre conscience qu'un être que l'on aime souffre d'une perte de contrôle au jeu est toujours bouleversant. Les défis que cela entraîne sont nombreux, et pas forcément faciles à relever.

Heureusement, avec les bons outils et l'aide appropriée, il est possible de faire face à la situation et de retrouver la paix intérieure. Ainsi, les notions présentées dans ce livre et les moyens pratiques qu'il recèle peuvent vraiment vous aider à faire un pas dans la bonne direction, celle des solutions efficaces. Certes, il n'existe pas de formule magique ; toutefois, selon notre expérience, le fait de mettre bout à bout plusieurs petites solutions entraîne générale- ment une fin heureuse.

C'est du moins l'expérience de Lily, qui peut témoigner de la « fin heureuse » de son histoire. Voici les messages électroniques, à la page suivante, qui ont marqué nos derniers échanges.

De: lily@proched'unjoueur.ca
À: claude.boutin@psy.ulaval.ca
Envoyé: Vendredi, 05 février 2006, 2:14 PM
Sujet: Merci de m'avoir soutenue

Bonjour Claude et Robert,

J'espère que vous allez bien.

Je profite de l'occasion pour vous remercier de m'avoir offert soutien et réconfort dans une période très difficile de ma vie. Tout n'est pas encore résolu, mais je sens que je contrôle davantage la situation. Simon va de mieux en mieux. Pour ma part, j'ai fait de moi et de mes enfants une priorité. Ce bout est, je crois, le plus important.

Je comprends maintenant ce que vous vouliez dire par : «Quand on se change soi, c'est toute la vie qui change!»

Lily… de plus en plus fière d'elle!

P.-S.: Passez le message aux proches… Il y a de l'espoir!

De: claude.boutin@psy.ulaval.ca
Date: 06 février 2006
À: lily@proched'unjoueur.ca
Sujet: Re: Merci de m'avoir soutenue

Bonjour Lily,

Robert et moi sommes très heureux de recevoir de tes nouvelles. Nous savions depuis le début que tu trouverais tes solutions. Nous t'encourageons à poursuivre. Dans toute chose, la persévérance est la clé du succès. Mais ça, tu le sais déjà!

Félicitations!
Claude et Robert
Psychologues

-----Message original-----

Bibliographie

AMERICAN PSYCHIATRIC ASSOCIATION. *Diagnostic and Statistical Manual of Mental Disorders*, 4ᵉ éd., Washington, DC, American Psychiatric Association, 886 p.

BERTRAND, K., J.-M. MÉNARD et J. TREMBLAY. *Les membres de l'entourage des personnes alcooliques et toxicomanes : portrait des services offerts au Québec*, Comité permanent de lutte à la toxicomanie, juin 2005, 23 p.

BOIVIN, M.-D., J. TREMBLAY et A. LEBLANC. *Les femmes conjointes de personnes toxicomanes : leur détresse psychologique et des avenues d'intervention*, Rapport de recherche transmis à la Régie régionale de la santé et des services sociaux de Québec, Québec, 2002, 60 p.

BOUTIN, C., M. DUMONT et R. LADOUCEUR. « Le traitement cognitif du jeu excessif », *Psychologie Québec*, vol. 18, n° 6, novembre 2001, p. 17-18.

BOUTIN, C. et autres. « Excessive gambling and cognitive Therapy », *Clinical Case Studies*, vol. 2, n° 4, octobre 2003, p. 259-269.

BOUTIN, C. et C. SYLVAIN. « Vivre avec un joueur excessif », *Psychologie Québec*, vol. 22, n° 3, mai 2005, p. 16-20.

CUSTER, R. L. et H. MILT. *When luck runs out*, New York, Facts on File Publications, 1985, 239 pages.

DABYSHIRE, P., C. OSTER et H. CARRIG. « The experience of pervasive loss: children and young people living in a family where parental gambling is a problem », *Journal of Gambling Studies*, vol. 17, n° 1, décembre 2001, p. 23-44.

DOUGLAS, A. A., S. L. CRAMER et S. D. SHERRETS. « Pathological gambling and the family: Practice implications », *Families in*

Society: The Journal of Contemporary Human Services, vol. 76, n° 4, avril 1995, p. 213-219.

HAMMOND, G. «Problematic gambling patterns: approaching a systemic view», *A.N.Z.J., Family Therapy*, vol. 18, n° 4, 1997, p. 203-209.

HEINEMAN, M. «A comparison: The treatment of wives of alcoholics with the treatment of wives of pathological gamblers», *Journal of Gambling Behavior*, vol. 3, n° 1, printemps 1987, Human Sciences Press, p. 27-40.

_____. «Compulsive gambling: Structured family intervention», *Journal of Gambling Studies*, vol. 10, n° 1, printemps 1994, Human Sciences Press, p. 67-76.

_____. *Losing Your Shirt. Recovery for Compulsive Gamblers and Their Families*, 2ᵉ éd., Center City, Minnesota, Hazelden, 2001, 200 p.

LADOUCEUR, R. et autres. *Programme d'évaluation et de traitement des joueurs excessifs*, Montréal, 2000, 198 p.

LADOUCEUR, R., C. BOUTIN et M. DUMONT. «La psychologie du joueur pathologique: aspect fondamental», *Psychologie Québec*, vol. 18, n° 6, novembre 2001, p. 14-16.

LADOUCEUR, R. et autres. «Cognitive and behavioral approaches to gambling», dans M. Hersen et W. Sledge (dir.), *Encyclopedia of Psychotherapy*, vol. 1, New York, Elsevier Sciences, 2002, p. 853-855.

LADOUCEUR, R. et autres. *Le jeu excessif: comprendre et vaincre le gambling*, Montréal, Éditions de l'Homme, 2000, 255 p.

LESIEUR, H. R. (éd.). «Special issue: Gambling and the family», *Journal of Gambling Behavior*, New York, Human Sciences Press, vol. 5, n° 4, hiver 1989, 352 p.

ORFORD, J. «Empowering family and friends: A new approach to the secondary prevention of addiction», *Drug and Alcohol Review*, vol. 13, 1994, p. 417-429.

SYLVAIN, C. et R. LADOUCEUR. *Programme destiné aux proches du joueur excessif* (manuscrit non publié), Québec, Université Laval (CQEPTJ), hiver 1999, 60 p.

TREMBLAY, J., K. BERTRAND et J.-M. MÉNARD. *Implication des membres de l'entourage dans la réadaptation des personnes alcooliques et toxicomanes*, Comité permanent de lutte à la toxicomanie, juin 2005, 131 p.

TREMBLAY, J., N. BLANCHETTE-MARTIN et A. TRUCHON. «Évaluation d'un protocole exploratoire d'intervention auprès de conjoints(es) de joueurs pathologiques en traitement», communication présentée dans le cadre du colloque *Jeu excessif, recherche clinique et intervention*, novembre 2004.

VOLBERG, R. et autres. «Prevalence studies and the development of services for problem gamblers and their families», *Journal of Gambling Studies,* vol. 12, n° 2, été 1996, Human Sciences Press, p. 215-231.

Lectures suggérées

BOUTIN, C. *J'achète (trop) et j'aime ça!*, Montréal, Éditions de l'Homme, 2005, 134 p.
Sur fond humoristique, ce livre explique la formation des dépendances (magasinage, jeux, alcool, nourriture…) sous l'angle des sentiments et des émotions.

LADOUCEUR, R., L. BÉLANGER et E. LÉGER. *Cessez de vous faire du souci pour tout et pour rien*, Paris, Odile Jacob, 2003, 149 p.
Ce livre favorise l'apprentissage des stratégies qui aident à s'apaiser soi-même. Tout est là pour vous permettre d'apprendre à vivre autrement et mieux!

Aide au jeu excessif

Au Québec, la ligne *Jeu: aide et référence*:   **1 866 SOS-JEUX**
(1 866 767-5389)

courriel: *jar@info-reference.qc.ca*

Jeu: aide et référence* est un service téléphonique d'information, de référence et de soutien sur le jeu compulsif, disponible 24 heures par jour, 7 jours par semaine, pour tout le Québec. Les intervenants y incitent les gens à faire une réflexion sur leurs habitudes de jeu et orientent les joueurs excessifs ainsi que leurs proches vers des ressources d'aide.
* Description tirée du site Internet: http://jeu-aidereference.qc.ca/

Partout ailleurs: le médecin de famille est la porte d'entrée à privilégier; demandez-lui de vous guider dans votre recherche d'aide.

Annexe 1
Budget

REVENUS NETS		
TYPE DE REVENU	**PAR MOIS**	**PAR ANNÉE**
Salaire net (après impôts)		
Salaire net du conjoint (s'il y a lieu)		
Pourboires, commissions		
Revenus d'intérêts et de placements		
Allocations familiales		
Assurance-emploi		
Prestations d'aide sociale		
Revenus de rentes ou pensions		
Autres revenus		
TOTAL DES REVENUS		

HABITATION*. Quelle proportion de mes revenus nets y est consacrée ? ____ %		
TYPE DE DÉPENSE	PAR MOIS	PAR ANNÉE
Loyer ou paiement d'hypothèque		
Assurance liée à l'hypothèque		
Assurance-habitation (feu, vol, etc.)		
Taxes scolaires et municipales		
Entretien, réparations		
Chauffage et électricité		
Téléphone et interurbains		
Câble et autres services		
Ameublement et autres		
Autres dépenses pour l'habitation		
TOTAL		

*On devrait consacrer entre 22 % et 40 % des revenus nets aux dépenses liées à l'habitation.

ALIMENTATION*		
Quelle proportion de mes revenus nets y est consacrée ? _____ %		
TYPE DE DÉPENSE	**PAR MOIS**	**PAR ANNÉE**
Aliments (épicerie)		
Produits ménagers		
Repas pris à l'extérieur		
Boissons (alcool, bière et autres)		
TOTAL		

On devrait consacrer environ 25 % des revenus nets aux dépenses liées à l'alimentation.

VÊTEMENTS – POUR LES QUATRE SAISONS		
Quelle proportion de mes revenus nets y est consacrée ? _____ %		
TYPE DE DÉPENSE	**PAR MOIS**	**PAR ANNÉE**
Vêtements (moi-même)		
Vêtements (conjoint)		
Vêtements (enfants)		
Nettoyage des vêtements		
Draps, serviettes, etc.		
Autres		
TOTAL		

TRANSPORTS		
Quelle proportion de mes revenus nets y est consacrée ? ____ %		
TYPE DE DÉPENSE	**PAR MOIS**	**PAR ANNÉE**
Transport en commun		
Taxis et location d'auto		
Automobile (achat ou paiements si location)		
Permis de conduire et immatriculation		
Entretien et réparations de l'automobile		
Essence		
Stationnement		
Autres		
TOTAL		

SÉCURITÉ, SANTÉ ET SERVICES PROFESSIONNELS Quelle proportion de mes revenus nets y est consacrée ? ____ %		
TYPE DE DÉPENSE	PAR MOIS	PAR ANNÉE
Assurance-vie		
Assurance-médicaments et frais médicaux		
Assurance-salaire		
Médicaments (sur ordonnance et autres)		
Dentiste, optométriste (rendez-vous, soins et prothèses)		
Autres professionnels (avocat, psychologue, etc.)		
Autres		
TOTAL		

ÉDUCATION Quelle proportion de mes revenus nets y est consacrée ? ____ %		
TYPE DE DÉPENSE	PAR MOIS	PAR ANNÉE
Frais de scolarité (moi, conjoint ou enfants)		
Pension et repas		
Transport		
Livres et articles scolaires		
Garderie		
Autres		
TOTAL		

LOISIRS ET VACANCES Quelle proportion de mes revenus nets y est consacrée ? ____ %		
TYPE DE DÉPENSE	PAR MOIS	PAR ANNÉE
Abonnements (revues, journaux, etc.)		
Activités culturelles (photo, peinture, etc.)		
Sorties (musée, cinéma, bars, etc.)		
Vacances annuelles		
Sports (équipement, abonnements, etc.)		
Autres		
TOTAL		

DIVERS		
Quelle proportion de mes revenus nets y est consacrée ? ____ %		
TYPE DE DÉPENSE	PAR MOIS	PAR ANNÉE
Allocations aux enfants		
Soins personnels (coiffeur, esthéticienne, etc.)		
Articles personnels (shampooing, savons, crèmes, etc.)		
Tabac		
Œuvres sociales et de charité		
Cadeaux (Noël, anniversaires, etc.)		
Autres		
TOTAL		

CRÉDIT		
REMBOURSEMENT D'EMPRUNTS		
(NE COMPREND PAS L'AUTO NI L'HABITATION)		
Quelle proportion de mes revenus nets y est consacrée ? ____ %		
TYPE DE DÉPENSE	**PAR MOIS**	**PAR ANNÉE**
Caisse populaire, banque		
Impôts à payer		
Emprunt à des particuliers		
Autres		
TOTAL		

TOTAL DES DÉPENSES		
CATÉGORIE	PAR MOIS	PAR ANNÉE
Habitation		
Alimentation		
Vêtements		
Transports		
Sécurité, santé et services professionnels		
Éducation		
Loisirs et vacances		
Divers		
Crédit		
TOTAL DES DÉPENSES		

SITUATION FINANCIÈRE		
CATÉGORIE	PAR MOIS	PAR ANNÉE
REVENUS NETS		
DÉPENSES		
SURPLUS ET ÉPARGNES OU MANQUE À GAGNER		

Version originale élaborée par AADAC (Alberta Alcool and Drug Abuse Commission) et adaptée par la Maison Jean-Lapointe pour le Québec.

Annexe 2

Réévaluation des idées automatiques (nuisibles)

RÉÉVALUATION DES IDÉES AUTOMATIQUES (NUISIBLES)

Étape 1 : nommer l'émotion (colère, tristesse, honte…).
* *Je me sens…*

_____

Étape 2 : identifier les idées nuisibles.
* *Je me dis que…*

_____

_____

_____

_____

_____

_____

_____

Étape 3 : remplacer les idées nuisibles par des idées aidantes.
* *Je pourrais me dire à la place que…*

_____

_____

_____

_____

_____

_____

_____

Annexe 3
Journal quotidien

JOURNAL QUOTIDIEN

Aujourd'hui : _____

Mes finances sont protégées. ⟶ 0 à 10^1 : _____
Précisions :
_____
_____
_____

J'ai brisé l'isolement ou demandé ⟶ 0 à 10 : _____
de l'aide.
Précisions :
_____
_____
_____

J'ai fait des exercices de réévaluation ⟶ 0 à 10 : _____
de mes idées automatiques nuisibles[2].
Précisions :
_____
_____
_____

J'ai pensé à moi. ⟶ 0 à 10 : _____
Précisions :
_____
_____
_____

J'ai nommé une attente claire au joueur. ➤ 0 à 10 : _____
Précisions :

_____

_____

_____

Le joueur a collaboré à ma demande. ➤ 0 à 10 : _____
Précisions :

_____

_____

_____

Mon objectif pour demain :

_____

_____

_____

1. *0 = pas du tout ; 10 = totalement.*
2. *Plus on fait des exercices de réévaluation, plus on s'apaise…*

À propos des auteurs

Claude Boutin, M. A. Ps.

Psychologue clinicien depuis 1989, Claude Boutin travaille au Centre québécois d'excellence pour la prévention et le traitement du jeu. En tant que chercheur, il participe à l'élaboration de nouvelles théories, en fait l'évaluation et offre des sessions de formation aux intervenants. Dans le cadre de son travail, il sensibilise les joueurs et leurs proches à la problématique du jeu excessif. Outre les joueurs excessifs, les victimes de stress post-traumatique, d'attaques de panique et d'insomnie chronique l'ont aidé à façonner ses interventions cliniques. Il s'intéresse également à la thématique des achats impulsifs et est l'auteur du livre à succès *J'achète (trop) et j'aime ça!* Enfin, Claude Boutin possède cette franche capacité de vulgariser les concepts autrement inaccessibles.

CLAUDE BOUTIN
PSYCHOLOGUE
claude.boutin@psy.ulaval.ca
boutinc@ca.inter.net

Robert Ladouceur, Ph. D.

Docteur en psychologie, Robert Ladouceur est directeur du Centre québécois d'excellence pour la prévention et le traitement du jeu. Il possède plus de vingt ans d'expertise dans le domaine de la psychologie des jeux de hasard et d'argent. Entre autres distinctions, il a reçu le prix Adrien-Pinard de la Société québécoise pour la recherche en psychologie pour sa contribution remarquable dans le domaine de la psychologie du jeu. La renommée de ce chercheur s'étend à plusieurs pays dont la Suisse, l'Espagne, la Suède, la Norvège, les États-Unis, l'Australie et l'Angleterre. Il est membre du comité éditorial du *Journal of Gambling Studies* et évaluateur pour plusieurs revues scientifiques. Il a également participé à la révision des critères du jeu pathologique du *DSM-IV* (TR).

ROBERT LADOUCEUR
PSYCHOLOGUE
robert.ladouceur@psy.ulaval.ca

Table des matières

Remerciements   9

Introduction   11

1

Connaître la dynamique d'un proche   15

Les trois phases : doute, stress, épuisement   18

La phase de doute   19

   Des facteurs déterminants   24

   Un problème difficile à affronter   30

La phase de stress   33

   L'insécurité comme trame de fond   34

   La spirale de la culpabilité   35

   Les tentatives de contrôle   36

   Les réflexes de survie   41

   L'anxiété   49

La phase d'épuisement   52

   L'impuissance   53

   La dépression   54

   La rage   57

2

Comprendre la double vie du joueur   61

Les trois phases du jeu excessif : gains, pertes, désespoir   64

La phase des gains   65

   Le gain signifiant   66

   Les idées erronées   67

   La conviction de gagner   72

La phase des pertes 75

  L'espérance négative de gain 76

  La double vie 76

  La perte de contrôle 78

  Les 10 indices du jeu excessif 82

La phase de désespoir 91

3
Établir une stratégie de résolution de problèmes 95

Premier objectif : assurer sa sécurité financière et psychologique 100

  Protéger ses finances 100

  Assurer son bien-être psychologique 107

Deuxième objectif : fixer ses limites 122

  Prendre une saine distance et penser à soi 122

  Apprendre à communiquer de façon affirmative 126

  Stimuler la collaboration du joueur 133

Troisième objectif : tenir un journal quotidien 134

Aide-mémoire 139

  Établir une stratégie de résolution de problèmes 139

Conclusion 141

Bibliographie 143

Lectures suggérées 147

Annexes

  Annexe 1. Budget 149

  Annexe 2. Réévaluation des idées automatiques (nuisibles) 161

  Annexe 3. Journal quotidien 163

À propos des auteurs 165